Einführung

AF725279

Warum brauchen wir einen Smartphonekurs für die User 55+?

Die Technologie von Smartphones bietet Nutzern der Altersgruppe 55+ viele Möglichkeiten, die durch das Alter bedingten kognitiven, motorisch-körperlichen und emotional-sozialen Herausforderungen zu bewältigen. Aber gerade dieser Nutzergruppe fehlt oft das nötige Grundwissen rund um Smartphones. Dabei ist die Bedienung dieser Geräte doch kinderleicht. Smartphones und die dazugehörigen Apps sind so designed, dass man sie intuitiv bedienen kann. Es gibt eine Designsprache, die man nur durch Bilder und ohne Worte versteht. Smartphones werden ohne Bedienungsanleitung verkauft. Aber genau wie beim Autofahren muss man es einmal gezeigt bekommen. Ohne Führerscheinkurs kann man kein Auto fahren. Hat man es aber einmal gelernt, kann man jedes Auto fahren. Wenn man das Prinzip, die Logik und die Designsprache eines Smartphones einmal verstanden und die Bedienung von Apps ein paar Mal geübt hat, kommt man mit jedem Smartphone zurecht.

Warum ist es für die jüngere Generation so einfach und für Ältere oft schwer?

Die Generation, die nach 1980 geboren wurde, ist mit dem Internet aufgewachsen. Sie hat sowohl in der Schule als auch im Arbeitsleben mit Computern gearbeitet. Kinder wachsen mit Smartphones und Tablets auf, sehen die Bedienung schon bei den Eltern und haben keine Angst, es auszuprobieren.

Für den älteren Nutzer ist die Bedienung von Smartphones in vielerlei Hinsicht problematisch. Die ältere Generation ist vorsichtiger und will vorher wissen, was passiert, wenn man auf eine Taste drückt. Freunde und Bekannte haben andere Smartphones, auf denen alles anders funktioniert. Anleitungen, so wie früher, gibt es nicht mehr. Oder man muss das passende Benutzerhandbuch im Internet finden und ausdrucken, nur um festzustellen, dass man kein Wort versteht. Was bleibt, sind Kinder und Enkelkinder, die so mit dem Medium Smartphone verhaftet sind, dass deren Erklärungen meist nicht kleinschrittig genug und zu umfangreich sind. Die ältere Generation ist überfordert und die jüngere genervt.

Zusätzlich hat der ältere Nutzer all die Probleme, die das Alter so mit sich bringt, wie Weitsichtigkeit, Gedächtnisschwäche, verminderte Beweglichkeit der Finger und Hörprobleme.

In welchen Bereichen kann das Smartphone ältere Nutzer unterstützen?

Das Smartphone ist ein smarter Assistent im täglichen Leben, der Aufgaben vereinfachen kann und die Kommunikation vor allem mit jungen Menschen mit Leben erfüllt.

- Kommunikation: Telefonieren, SMS, WhatsApp
- Orientierung: Landkarte, Routen erstellen, Deutsche Bahn, öffentlicher Nahverkehr
- Information: Internet, Zeitung, Bücher, Shopping
- Erinnerung: Kalender, Wecker, Adressbuch
- Kamera: Fotos oder Filme machen, bearbeiten, speichern und teilen
- Lernen: Sprachen, Wikipedia
- Spiele: Gehirntraining, Schnelligkeit
- Unterhaltung: Musik hören, Filme schauen
- Zwei-Faktor-Authentifizierung für das Onlinebanking

Was macht dieser Kurs nicht?

Dieser Kurs beantwortet keine Fragen zu Reparaturen oder spezifischen Smartphone-Einstellungen. Es empfiehlt sich, im Vorfeld des Kurses nach geeigneten Smartphone- oder Mobilfunkgeschäften im Umkreis zu suchen und in den Geschäften nach Beratungsmöglichkeiten, Hilfe bei speziellen Einstellungsfragen und Reparaturpreisen zu fragen. Die Kursteilnehmer erwarten nicht, dass man alles weiß und kann. Es ist aber wichtig, sie mit diesen Problemen nicht allein zu lassen und ihnen eine Anlaufstelle zu nennen.

Dieser Kurs klärt auch nicht über alle Kosten eines Smartphones auf. Bei der Vielzahl an Vertrags- und Abrechnungsmodellen können keine allgemeingültigen Antworten gefunden werden. Auch hier kann man die Teilnehmer auf den entsprechenden Mobilfunkanbieter und vielleicht sogar auf einen netten Mitarbeiter in einem Geschäft hinweisen. Gerade vor einem Auslandsaufenthalt oder zum Thema Drittanbietersperre sollten die Kursteilnehmer sich informieren.

Fakten zum Kurs

Für welche Smartphone-Systeme ist dieser Kurs geeignet?

Dieser Kurs wurde für die Betriebssysteme iOS von Apple und Android von Google konzipiert. Es gibt einige wenige Marken, die ihr ganz eigenes System entwickelt haben. Diese werden in diesem Kurs nicht berücksichtigt.

Da iOS und Android sehr unterschiedlich sind, bietet dieser Kurs zwei verschiedene Kursbücher an: iPhone und Android. Um auf die verschiedenen Android-Versionen und Designoberflächen der verschiedenen Marken einzugehen, arbeitet dieser Kurs mit Aufklebern. Dazu erfahren Sie gleich mehr auf der nächsten Seite. Sie werden feststellen, dass das Android-Kursbuch keine Smartphone-Oberfläche eines bestimmten Herstellers abbildet. Es wurde eine stilisierte Darstellung gewählt, die die Essenz aller gängigen Smartphones abbildet. Mit den Aufklebern macht der Kursteilnehmer das Kursbuch zu „seinem Smartphone-Buch“.

Das iPhone-Kursbuch beruht auf der iOS-Version 18.

Es ist möglich, gemischte Kurse zu unterrichten. Zu Beginn ist es besser, mit getrennten Kursen zu starten. Erst wenn man in beiden Systemen Erfahrungen gesammelt hat, sollte man gemischte Kurse anbieten.

Kursaufbau, Teilnehmer und zeitliche Einteilung des Kurses

Das Kursbuch enthält 50 Aufgaben zu folgenden Themen:

01- 10: Grundlagen: Bedienung, Telefonieren, Kontakte
11- 20: Nützliche Apps: Uhr, Kalender, Nachrichten
21- 30: Kamera, Galerie, Screenshot, Notizen
31- 40: WLAN-Verbindung, Maps, Internet, Apps
41- 50: WhatsApp

Bewährt haben sich Unterrichtseinheiten von 90 Minuten und eine Gruppengröße von 4 bis 8 Teilnehmern. In 90 Minuten schafft man 10 Aufgaben. Während des Kurses sollte man auf Fragen, die die Aufgabe betreffen, antworten. Fragen, die aber über die Aufgabenstellung hinausgehen oder nur für eine Person von Interesse sind, sollte man sich notieren und ans Ende der Stunde verweisen. Je nach Gruppe hat man am Ende der 90 Minuten noch genug Zeit für Fragen. Natürlich können die Aufgaben des Kurses auch auf kürzere Einheiten mit weniger Aufgaben pro Einheit verteilt werden.

Unterstützung für Trainer und Teilnehmer durch YouTube-Videos

Kursbegleitend und unterstützend gibt es neu den FriedeFreudeSmartphone YouTube-Kanal der Autorin: **youtube.com/friedefreudesmartphone**

Hier finden Sie Videos zu allen Aufgaben im Buch und viele nützliche zusätzliche Informationen und Tipps, zu den Fragen und Problemen von älteren Usern mit ihrem Smartphone. Sie können die Videos sowohl als Vorbereitung für die eigenen Kurse als auch zur Unterstützung und Wiederholung für Ihre Kursteilnehmer nutzen. Die Teilnehmer haben dadurch nicht das Gefühl, dass sie hier für etwas bezahlen, was es umsonst im Internet gibt. Vielmehr finden sie die Möglichkeit, das Erlernte noch einmal als Video wiederholen zu können, extrem hilfreich. In vielen Städten und Gemeinden gibt es Einrichtungen, wo Computer mit Verbindung ins Internet für alle Einwohner angeboten werden, die sonst keinen Zugang zum Internet haben. Finden Sie im Vorfeld für Ihre Kursteilnehmer, die nicht über einen Internetzugang zu Hause verfügen, Möglichkeiten, wo sie das zusätzliche Videoangebot nutzen können.

Der Kurs enthält sehr viel Wissen rund um Smartphones und es ist schwierig, sich das alles in jeweils 90 Minuten zu merken. Für die Teilnehmer ist es eine große Erleichterung, zu wissen, dass sie es sich nochmals als Video anschauen können.

Welche Materialien braucht man zum Kurs?

1. Kursbücher für alle Teilnehmer (darin enthalten sind Stickerbögen)
2. Kursposter für den Android-Kurs (sind dem Trainerleitfaden beigefügt)
3. Whiteboard-Marker
4. Smartstifte/Touchpens für die Teilnehmer: Mit Eingabestiften fällt die Bedienung des Smartphones vielen oft leichter.
5. Kugelschreiber und Block, um sich Fragen aufzuschreiben
6. Geladenes Smartphone für den Kurs

Die Kursbücher für Android oder iPhone finden Sie im Buchhandel oder unter **www.bildner-verlag.de**.
Zusätzliche Informationen finden Sie über **www.smartphonekurs.de**.

Werden Sie Bildungspartner des BILDNER Verlags und profitieren Sie von einer Vielzahl an Vergünstigungen wie den Bezug von Musterexemplaren zu besten Konditionen oder Wiederverkäuferrabatte. Informieren Sie sich noch heute auf www.bildner-verlag.de.

Warum liegen dem Kursbuch Sticker bei?

Android: Um auf die verschiedenen Android-Versionen und Designoberflächen der verschiedenen Marken einzugehen, arbeitet dieser Kurs mit Aufklebern. Durch Sticker kann der Teilnehmer das Kursbuch an das Aussehen seines Smartphones anpassen. Beispielsweise ist das Plussymbol zur Erstellung eines neuen Kontakts bei einigen Smartphones oben, bei manchen unten, manchmal rechts und manchmal links. Damit der Teilnehmer die Aufgaben zu Hause wiederholen und nachvollziehen kann, ist es sehr wichtig, dass sein Kursbuch das eigene Smartphone widerspiegelt.

iPhone: Selbstverständlich enthält auch das Kursbuch für das iPhone Sticker. Da Apple die aktuelle Version Ihres Betriebssystems auch älteren Geräten (bis iPhone 8/8Plus/X) zur Verfügung stellt, sind hier keine Unterschiede vorhanden. Auf Bedienungsabweichungen, die durch den Wegfall des Home-Buttons ab iPhone X und die zusätzliche Aktionstaste (ab iPhone 15Pro) entstehen, wird im Kursbuch und im Trainerleitfaden hingewiesen. Aus diesen Gründen ist die Anzahl der Aufkleber gegenüber dem Android-Kursbuch stark reduziert. Dennoch profitiert der Teilnehmer durch die Sticker.

Durch die Auswahl des passenden Stickers und das Einkleben an der korrekten Position setzt sich der Teilnehmer intensiv mit Design und Verortung auseinander und schafft einen Zusammenhang zwischen seinem Smartphone und dem Kursbuch. Der praktische Teil der Aufgabe - also das Einkleben - fördert den Lernerfolg. Alle Sticker verwenden die Signalfarbe rot. So sieht der Teilnehmer beim Wiederholen der Aufgabe zu Hause sofort, auf welche Buttons es ankommt. Es gibt mittlerweile unzählige Smartphone-Versionen. Für den Fall, dass der passende Sticker einmal nicht zur Verfügung steht, enthält der Stickerbogen leere Sticker, die angepasst werden können.

Was nimmt der Teilnehmer aus dem Kurs mit?

Viele Teilnehmer haben Angst oder zumindest großen Respekt vor der Auseinandersetzung mit dem Smartphone: Angst, etwas falsch zu machen. Angst, es nicht gleich zu verstehen. Angst, nicht mehr mitzukommen. Angst, dass die anderen es viel besser können.

Diese Befindlichkeiten wurden in der Kursentwicklung berücksichtigt. Der Teilnehmer wird da abgeholt, wo er mit seinem Wissen steht. Durch die einfachen und alltäglichen Probleme, die in den Aufgaben gelöst werden, hat der Teilnehmer schnell ein Erfolgserlebnis. Durch die Schritt-für-Schritt-Anleitungen zu den Aufgaben und die Anpassung des Kursbuches durch Sticker kann er die Aufgaben zu Hause einfach wiederholen.

Im Kurs gibt es keine guten oder schlechten Smartphones. Jedes Smartphone mit Apple- oder Android-Technik kann mitmachen und für jedes Smartphone, egal wie alt, ist das Kursbuch anpassbar. Die Teilnehmer wissen am Ende des Kurses, dass sie nicht zu alt sind für die Bedienung eines Smartphones. Sie nutzen vielleicht nicht jede Funktion des Smartphones. Aber das, was der Einzelne im Alltag benötigt, kann er jetzt bedienen. Und vor allem hat er keine Angst mehr.

Warum werden die Teilnehmer im Kursbuch geduzt?

Die Anweisungen zur Lösung der einzelnen Aufgaben sollen kurz und prägnant sein, damit der Teilnehmer so wenig wie möglich lesen muss und mehr Zeit hat, die Schritte auf dem Smartphone nachzuvollziehen. Hier hat sich die Du-Form angeboten und wurde bis jetzt von keinem Teilnehmer in Frage gestellt. In der Regel werden Sie als Trainer die Teilnehmer siezen. Aus diesem Grund wurden die Antworten, die Ihnen im Verlauf des Trainerleitfadens sozusagen in den Mund gelegt werden, in Sie-Form verfasst.

Warum gibt es keinen eigenen Trainerleitfaden nur für iPhones?

Der große Vorteil des iPhones ist, dass die Oberflächengestaltung für einen Großteil der aktuellen Geräte (bis einschließlich iPhone X) gleich ist. Der Teilnehmer kann dem Kursbuch zu 100 Prozent folgen und benötigt weniger Hilfestellungen durch den Dozenten. (Ausnahmen sind ältere Modelle. Apple unterstützt nicht mehr alle älteren iPhone-Versionen mit der aktuellen Software.) Durch den Wegfall des Home-Buttons seit dem iPhone X haben sich einige Funktionen verändert. Darauf wird im Kursbuch hingewiesen. Mit dem iPhone 15 Pro ist die Aktionstaste hinzugekommen. Alle Modelle der iPhone 16-Serie haben zusätzlich eine Taste zur Kamerasteuerung. Darauf wird bei den entsprechenden Aufgaben ebenfalls hingewiesen.

Auch das iPhone-Kursbuch enthält Sticker. Während für die Android-Version teilweise 4 bis 5 Sticker zur Auswahl angeboten werden, steht für das iPhone nur ein Sticker zur Verfügung. Dessen Position wird durch ein Kreissymbol im iPhone-Kursbuch vorgegeben. So benötigt der iPhone-Nutzer also wesentlich weniger Anleitung durch den Trainer als der Android-Nutzer.

Kursablauf

Zu Kursbeginn sollten Sie kurz auf die zwei großen Betriebssystem iOS für iPhone von Apple und Android von Google eingehen. Als Vergleich können Sie auch Folgendes verwenden: Autos fahren mit Benzin oder Diesel. Apple fährt nur mit Diesel und fast alle anderen sind Android und fahren mit Benzin. Samsung, Huawei, Sony, Motorola, Wiko usw. Stellen Sie dar, dass sich iPhones untereinander gleichen, aber Android-Smartphones aufgrund der verschiedenen Hersteller sich stärker unterscheiden.

Versuchen Sie, Fremdwörter weitestgehend zu vermeiden. Das ist selbstverständlich nicht immer möglich und zielführend. So wurde für dieses Buch beispielsweise entschieden, Worte wie Button oder App zu verwenden. Die Teilnehmer finden zu wichtigen Begriffen Erläuterungen am Ende des Kursbuchs.

Vor Beginn der ersten Aufgabe

Auf Seite 4 und 5 des Kursbuchs finden Sie eine Übersicht zum Aufbau der einzelnen Aufgaben. Lassen Sie die Teilnehmer diese Seite aufschlagen und fordern Sie sie auf, die Stickerbögen vor sich auf den Tisch zu legen.

Erläutern Sie den Ablauf der einzelnen Aufgaben:

- Die Aufgabenstellung finden Sie immer links.
- Wird eine spezielle App zur Lösung der Aufgabe benötigt, ist das App-Symbol auch links aufgeführt.
- Die Aufgabe wird in drei Schritten gelöst.
- Die Lösungsanweisungen finden Sie immer unter der Grafik.
- Die gelben Hände zeigen an, auf was man tippen muss.
- Zusätzliche Informationen stehen im Kursbuch in rechteckigen Sprechblasen zur Verfügung. Für das iPhone enthalten sie vor allem Anweisungen zu Handhabungen ab iPhone X. Für Android werden hier ebenfalls Ausnahmefälle der Benutzung beschrieben. Aber auch allgemeine Hinweise finden hier Platz.

Besprechen Sie mit den Teilnehmern die Verwendung der Sticker:

- Um die wichtigen Buttons, auf die getippt werden muss, hervorzuheben, gibt es Sticker. Auf den Stickerbögen finden Sie einzelne Nummern, dabei handelt es sich um die Aufgabennummern.
- Die Nutzer eines Android-Smartphones können hier unter verschiedenen Stickern für eine Aufgabe auswählen, passend zum Smartphone. Da es zwischen den einzelnen Smartphones zu Abweichungen kommt, stehen für manche Aufgaben mehrere Sticker zur Verfügung. Alle Sticker, die zu einer Aufgabe gehören, sind durch die Aufgabennummer gekennzeichnet.
- iPhone-Nutzern steht immer nur ein Sticker zur Verfügung. Dennoch profitieren die Teilnehmer durch die Sticker, weil sie Position und Aussehen verinnerlichen.
- iPhone-Nutzer haben meist nur einen Sticker zur Auswahl, da die Oberflächengestaltung bei Apple sehr einheitlich ist. Ab dem iPhone X hat sich die Bedienung verändert. Zu den entsprechenden Aufgaben gibt es zusätzliche Sticker oder einen Infokasten, der darauf hinweist. Die Stelle, auf die der Aufkleber im Buch geklebt werden muss, ist durch einen roten Kreis gekennzeichnet.
- Ob ein Sticker zum Einsatz kommt, sehen Sie im Kursbuch am gelben Stickersymbol oben links am jeweiligen Smartphone-Display.
- Manche Aufgaben erfordern innerhalb der drei Lösungsschritte zwei Sticker. Diese sind auf dem Stickerbogen durch eine gepunktete Linie getrennt, um die Auswahl zu erleichtern.

Wichtige Punkte der Aufgabe

Ab Seite 8 in diesem Trainerleitfaden finden Sie zu jeder Aufgabe im Kursbuch eine Doppelseite an Informationen. Die rechte Seite dient dazu, Ihnen im Kurs einen schnellen Überblick zu Inhalt und Medieneinsatz der einzelnen Aufgabe zu bieten. Auf der linken Seite finden Sie ausführliche Informationen zur Aufgabenthematik. Tipps zum Unterrichtsablauf sind farbig hervorgehoben.

Immer das Warum erläutern

Die ältere Generation hat über viele Jahrzehnte alle Probleme analog gelöst. Straßenkarten lesen, sich Notizzettel schreiben und einen Kalender in der Tasche haben, in den man wichtige Termine einträgt. All das hat wunderbar funktioniert. Also warum soll man all diese Aufgaben jetzt einem Smartphone übertragen? Die Erfahrung hat gezeigt, dass Sie, um den Teilnehmer zum Mitmachen zu motivieren, zu Beginn einer Aufgabe immer erklären müssen, warum es sinnvoll ist, diese Technik zu erlernen, diese App zu verwenden etc. Nur wenn man das Warum überzeugend erklären kann, sind die Teilnehmer auch bereit, die Neuerung anzunehmen und zu erlernen.

Poster zum Android-Kursbuch

Sofern es nützlich ist, steht für einzelne Aufgaben des Android-Kursbuchs ein Poster zur Verfügung. Versuchen Sie, so viel wie möglich am Poster nachzuvollziehen, um den Teilnehmern das Auffinden von Apps und Buttons zu erleichtern. Durch die unterschiedlichen Android-Oberflächen haben es die Kursteilnehmer hier schwerer. Das Poster zur App WhatsApp liegt in zwei Versionen vor: einmal mit der Menüleiste oben und die neue Version mit der Menüleiste unten.

Für den iPhone-Kurs gibt es keine gedruckten Poster. Durch die einheitliche Oberfläche haben Sie den Vorteil, dass Sie Apps durch deren Farben und Buttons durch deren Position leicht verständlich benennen und deren Auffinden so erleichtern können.

Die Poster zum iPhone-Kurs stehen als Teil einer PowerPoint-Präsentation zum kostenlosen Download zur Verfügung. Hier erhalten Sie ebenfalls eine PowerPoint-Präsentation zum Android-Kurs. Sie finden beides unter: **www.bildner-verlag.de/00410**

Sticker

Weisen Sie die Teilnehmer immer auf das Vorhandensein von Stickern hin. Geben Sie den Teilnehmern genügend Zeit, um die Sticker einzukleben, und kontrollieren Sie nach Möglichkeit das Ergebnis.

SAMSUNG
Finde den Knopf » Offene Apps « und den Knopf » 1 Schritt zurück «.
Apps alle auf einmal oder einzeln durch Tippen auf X oder Wischen schließen.
12

Fragen und Antworten:

Was ist ein Sperrbildschirm und was der Startbildschirm?

Der Sperrbildschirm ist der erste Bildschirm, der nach dem Einschalten auf dem Smartphone erscheint. Dieser enthält eigentlich nur die Uhrzeit und das Datum. Nach dem Entsperren des Smartphones mittels Code, Muster oder dem eigenen Fingerabdruck gelangt man zum Startbildschirm. Bei einigen Smartphones ist die Sperrfunktion abgeschaltet und der Startbildschirm wird sofort angezeigt. Auf dem Startbildschirm sind viele kleine Symbole. Das sind die Apps.

Was sind Apps?

Das Smartphone funktioniert über viele Miniprogramme, die Apps heißen. Jedes Symbol auf dem Startbildschirm stellt eine App dar. Das Symbol zeigt, um welche App es sich handelt, z. B. eine Uhr für die App *Uhr*, ein Kopf für die App *Kontakte*, ein Zahnrad für die App *Einstellungen* usw. Ein neues Smartphone hat etwa 30 bis 40 Apps vorinstalliert. Die Bedienung der App erfolgt durch Antippen. Man tippt also kurz auf das App-Symbol und das Programm startet. Man sagt auch „das Programm öffnet sich". Ein Programm ist offen oder geschlossen. Im Programm selber einfach mal probieren, was man antippen kann. Keine Sorge. Zurück kommt man immer wieder mit dem Home-Button (sozusagen „Zurück auf Start").

Was ist der Home-Button / die Gestensteuerung

Der Home-Button oder alternativ die Wischgeste von ganz unten nach oben sind die wichtigsten Steuerelemente auf Ihrem Smartphone. So gelangen Sie immer wieder zurück zum Startbildschirm, egal in welchem Programm Sie sich befinden.

Auf neuen Smartphones besteht die Möglichkeit, in den Einstellungen im Bereich *Anzeige* oder *Display* beim Eintrag *Navigationsmodus* zwischen Home-Button- oder Gestensteuerung zu wechseln.

Mit eingeschalteter Gestensteuerung wird am Handybildschirm mittig am unteren Rand ein waagerechter Strich angezeigt - diesen nach oben zur Mitte ziehen, um zum Startbildschirm zurückzukehren. Das gilt ab iPhone X und als Anhaltspunkt ab Einführung von Android 10. Im Buch nutzen wir weiter die Navigation über Schaltflächen.

Wo ist auf Ihrem Smartphone die Übersicht aller installierten Apps?

- Bei vielen Smartphones liegen die Apps auf Bildschirmseiten einfach nebeneinander.
- Aktuelle Android-Geräte, z. B. Smartphones von Samsung, bieten eine App-Schublade. Man erreicht diese vom Startbildschirm durch Wischen nach oben. Unter Umständen kann man in den Einstellungen diese App-Schublade aktivieren.
- Ältere Samsung-Geräte haben einen Menü-Button (Button mit vielen Punkten). Durch Antippen erreicht man die App-Ebene. **Sticker**

Bei einigen Modellen kann man in den Einstellungen zwischen diesen 3 Möglichkeiten wählen.

- Mit iOS 14 wurde die App-Mediathek eingeführt. Hier werden alle installierten Apps automatisch auf verschiedene Ordner aufgeteilt. Die App-Mediathek schließt rechts hinter dem letzten Startbildschirm an. Wischen Sie also immer nach links, bis diese erscheint.
- Ab iOS 16 gibt es ein Suchfeld, mit dem man direkt nach Apps oder anderen Inhalten suchen kann. Die Punkte zur Seitenzahl werden nur beim Wischen zwischen den Seiten angezeigt.

Zeigen Sie für den Android-Kurs auf dem Poster, welche Möglichkeiten es gibt, alle Apps anzuzeigen. In welche Richtung muss gewischt werden, wo ist der Button?

Es ist wichtig, bei jeder Aufgabe zu den Teilnehmern zu gehen. Hier sollte man zusammen mit dem Teilnehmer überprüfen, welchen Aufkleber er braucht, wo die Seitenpunkte sind und wie viele Bildschirmseiten er auf seinem Smartphone hat.

Teilnehmer, die zur Anzeige *Aller Apps* über den Bildschirm wischen müssen, können das auch im Kursbuch Seite 6 auf den freien Zeilen vermerken.

Das Poster des Startbildschirms können Sie für viele Aufgaben im Android-Kurs einsetzen. Es kann dazu dienen, alle Teilnehmerbildschirme wieder auf den gleichen Stand zu bringen: „Alle zeigen jetzt bitte wieder den Startbildschirm an und wir beginnen mit der nächsten Aufgabe". Nach Möglichkeit lassen Sie das Poster des Startbildschirms während des gesamten Kurses aufgehängt.

Aufgabe 1

Öffnen Sie den Startbildschirm. Wie viele Apps sind auf Ihrem Smartphone installiert?

Kursbuch Seite 6/7

WARUM ?

Smartphones haben eine eigene Bildsprache. Es gibt für alles ein Symbol. Man tippt auf ein Symbol und das Smartphone macht etwas. Diese Bildsprache ist intuitiv - also ohne Anleitung - bedienbar. Leider haben wir diese Sprache in der Schule nicht gelernt. Aber es ist wie mit dem Autoführerschein - man macht einmal den Führerschein und kann jedes Auto fahren.

PUNKTE

- Sperrbildschirm mit Uhrzeit
- Startbildschirm mit Apps
- Apps
- Symbolsprache
- App-Symbole
- Punkte als Seitenanzeige
- Wischen, um zu blättern
- Home-Button
- App-Übersicht: **Sticker**
- **iPhone:** Pfeil **Sticker** 

POSTER

ZIEL

Den Startbildschirm erkennen.
Zwischen den Seiten blättern.
Übersicht aller Apps finden.

STICKER

Finden Sie die Übersicht aller Apps?

APP

Schalte dein Smartphone ein. Das ist der Sperrbildschirm.

Das ist der Startbildschirm. Durch Wischen auf die nächste Seite blättern.

Finde die Übersicht aller Apps. Wie viele Apps sind installiert?

Fragen und Antworten:

Was ist beim Handy wo?

- Ein-/Aus-Taste
- Laut-/Leise-Taste
- Zwei Kameras vorne/hinten
- Anschluss Ladekabel
- Anschluss Kopfhörer
- Bei neueren Geräten gibt es nur noch einen Multifunktionsanschluss (USB-C); dann sind nur noch Bluetooth-Kopfhörer möglich oder Sie kaufen einen Adapter.

Warum wird das Smartphone nicht mehr abgeschaltet?

Wenn Sie das Smartphone ausschalten, sind Sie nicht mehr erreichbar und kein Klingelton ertönt, um Sie auf einen Anruf/eine Nachricht aufmerksam zu machen. Dennoch ist es sinnvoll, das Gerät von Zeit zu Zeit abzuschalten und neu zu starten. Drücken Sie dazu die Ein-/Aus-Taste so lange, bis auf dem Display *Ausschalten* erscheint und tippen Sie dann den Button an. Das ist vergleichbar mit dem Ziehen des Steckers am Fernseher. Sie schalten das Gerät durch Drücken des Ein-/Aus-Schalters auch wieder an.

Verzichten Sie im Kurs darauf, das Smartphone ganz abzuschalten. Beim Neustart muss man die SIM-Karte entsperren und vielleicht hat nicht jeder seine PIN dabei.

Wofür ist der Sperrbildschirm da?

Nach Antippen des Ein-/Aus-Schalters oder des mechanischen Home-Buttons (bei neuen Smartphones oft nicht mehr vorhanden) erscheint als erstes der Sperrbildschirm. Dieser enthält noch keine Apps außer Kamera und Telefon. Auf dem Sperrbildschirm kann man nur wischen, nicht tippen. Der Sperrbildschirm verhindert, dass das Smartphone in der Tasche selbstständig ans Telefon geht, indem versehentlich auf etwas getippt wird.

Bei einigen Handys kann man den Sperrbildschirm abschalten und landet nach dem Einschalten sofort auf dem Startbildschirm. Es ist auch möglich, dass der Home-Button mit einem Fingerabdrucksensor ausgestattet ist und der Abdruck des Nutzers hinterlegt wurde. Dann ist zwar ein Sperrbildschirm vorhanden, Sie entsperren aber durch Auflegen des Fingers auf den Home-Button sofort das Smartphone und gelangen zum Startbildschirm. Gleiches gilt für die Gesichtserkennung. Einige Smartphones haben den Fingerabdrucksensor nicht auf dem Home-Button, sondern der Sensor ist hinten am Gerät oder auf der Ein-/Aus-Taste.

Wie können Sie einen Telefonanruf vom Sperrbildschirm aus entgegennehmen?

Wenn das Smartphone klingelt, erscheint ein grüner und ein roter Telefonhörer. Das Smartphone zeigt uns durch Pfeile an, was wir machen müssen. Aber nicht vergessen, man kann auf dem Sperrbildschirm nur ziehen oder wischen, nicht tippen. Zieht man am oder zum grünen Hörer, dann nimmt man das Gespräch an. Zieht man am oder zum roten Hörer, lehnt man das Gespräch ab. Wir üben das in Aufgabe 5.

Wie öffnet man die Kamera aus dem Sperrbildschirm?

Bei den meisten Smartphones ist das Kamerasymbol auf dem Sperrbildschirm rechts unten. Auch hier: nicht drücken oder tippen, sondern nach oben ziehen oder wischen.

iPhone: Sie öffnen die Kamera durch Wischen vom rechten Bildschirmrand. Ab iPhone 16 (alle Modelle) gibt es die Kamerataste. Damit gelangt man direkt zur Kamera. Apple nennt die Taste „Kamerasteuerung".

Für diese Aufgabe benötigen Sie keinen Sticker.

Tipp: In den Einstellungen kann der Zugriff auf Telefon und Kamera vom Sperrbildschirm entfernt oder ein Shortcut zu anderen Apps hinterlegt werden.

Aufgabe 2

Sie wollen schnell ein Foto machen.

Öffnen Sie die Kamera aus dem Sperrbildschirm.

Kursbuch Seite 8/9

WARUM ?

Damit niemand private Informationen, z. B. Fotos, Kontaktdaten etc. einsehen kann, ist der erste Bildschirm gesperrt. Man braucht einen Code, um es zu entsperren. Der Code kann eine Nummer, ein Muster, Ihr Fingerabdruck oder bei den neuesten Smartphones Ihr Gesicht sein. Aus dem Sperrbildschirm heraus lassen sich nur Anrufe entgegennehmen oder Fotos knipsen.

PUNKTE

- Ein-/Aus-Schalter
- Laut-/Leise-Tasten
- Zwei Kameras
- Anschluss Ladekabel
- Anschluss Kopfhörer
- Oder Multifunktionsbuchse
- Komplett Abschalten
- Sperrbildschirm
- Kamera aus Sperrbildschirm öffnen
- **iPhone:** Wischen vom rechten Bildschirmrand, ab iPhone 16 Kamera-Taste

POSTER

ZIEL

Sperrbildschirm erkennen. Kamera aus dem Sperrbildschirm öffnen.

STICKER

APP

Öffne den Sperrbildschirm. | Ziehe am Kamerasymbol nach oben. | Jetzt kannst du sofort dein Foto machen.

Fragen und Antworten:

Was ist der Unterschied zwischen der mobilen Telefonverbindung und der Internetverbindung?

Während man mit den ersten Handys nur telefonieren konnte, ist es heutzutage mit Smartphones möglich, zu telefonieren, eine Webseite zu betrachten oder den Weg zum Bahnhof anzuzeigen. Damit das funktioniert, muss das Smartphone mit einem Sendemast verbunden sein. Trotz Verbindung kommt es manchmal vor, dass man zwar telefonieren kann, aber einfach nicht ins Internet kommt. Grund hierfür kann sein, dass Sie momentan mit einem Sendemast verbunden sind, der nur einen sehr langsamen Internetzugang ermöglicht, oder keine Verbindung zustandegekommen ist.

Die Unterscheidung zwischen Telefonverbindung und Internetverbindung (= mobile Daten) wird zum einen aus Abrechnungsgründen getroffen, zum anderen werden die Verbindungen auch am Smartphone unterschieden: Dieses Symbol zeigt die Qualität der Telefonverbindung an, dieses die Art der Internetverbindung.

Wofür bezahlt man mit der SIM-Karte?

Telefon: Abrechnung pro Minute oder als Flatrate für einen Monat.

Mobile Daten: Menge wird in Giga- oder Megabyte pro Monat abgerechnet. 1 GB = 1000 MB.

Beispiel: Datenvolumen 1,5 GB = 1500 MB pro Monat.

Ich schicke Ihnen ein Foto mit 5 MB. Jetzt habe ich noch 1495 MB Datenvolumen für diesen Monat. Wenn das Datenvolumen verbraucht ist, schickt mir mein Anbieter eine Textnachricht. Dann kann ich nachkaufen (Achtung! Datenautomatik).

WLAN spart mobile Daten: Zu Hause haben viele WLAN eingerichtet, welches zusammen mit dem Festnetz abgerechnet wird. Dort sollten Sie das Smartphone mit dem WLAN verbinden, um mobile Daten zu sparen. Wie man sich mit dem WLAN verbindet, wird in einer späteren Aufgabe geübt.

Mobile Daten im Ausland nutzen: Das nennt man Roaming und kann zusätzliche Kosten verursachen (EU/restliche Welt).

Welche Informationen zeigt die Statusleiste an?

Die Statusleiste befindet sich ganz oben auf dem Bildschirm. Man kann hier nichts antippen. Die verschiedenen Symbole geben Auskunft, wie das Smartphone verbunden ist oder welche Funktionen angeschaltet sind und gerade genutzt werden. Bei manchen Funktionen, z. B. „Standortfreigabe", kann man einstellen, ob die Standortdaten „immer" oder „nur beim Benutzen der App" freigegeben sind. Je nachdem wird das Symbol angezeigt.

Telefonverbindung: Die Striche sind teilweise grau, teilweise weiß. Wie viele von den Strichen weiß sind, sagt Ihnen, wie gut die Verbindung zum Sendemast ist. Wenn also nur zwei von fünf Strichen weiß sind, ist das eine schwache Verbindung.

WLAN: Das gleiche gilt für die WLAN- oder Wi-Fi Verbindung. Das Symbol für WLAN sieht aus wie eine Pizzaschnitte. Auch hier gilt, je mehr Ringe weiß sind, desto besser ist die Verbindung.

Mobile Daten: Das Symbol ist ein Pfeil nach oben neben einem Pfeil nach unten. Darüber wird die Art der Verbindung angegeben, z. B. LTE bzw. 4G oder 5G, H, 2G oder E. Beim iPhone fehlt das Symbol, hier wird nur LTE bzw. 4G, 5G etc. angezeigt.

NFC = Near Field Communication: Das Symbol ähnelt einem N. Damit kann man an der Supermarktkasse bezahlen. Die Reichweite beträgt nur ca. 10 cm, damit man nicht für die Kasse daneben mitbezahlt. iPhones zeigen das nicht an.

Bluetooth: Das Symbol ist eine eckige Schleife. Damit verbindet man sich mit schnurlosen Geräten, wie dem Autoradio oder schnurlosen Kopfhörern.

Stumm schalten: Ein durchgestrichener Lautsprecher zeigt, dass das Smartphone stumm geschalten ist.

Wecker: Wenn Sie sich einen Wecker gestellt haben, wird in der Statusleiste ein kleiner Wecker angezeigt. Ohne Anzeige des Symbols wird auch kein Wecker klingeln.

Standortfreigabe GPS = Global Positioning System: Für Android sieht das Symbol entweder aus wie ein Tropfen oder eine Kompassnadel. iPhones verwenden nur eine Kompassnadel. Damit kann das Smartphone Ihre Position lokalisieren und auf der Karte darstellen oder eine Route berechnen.

Batterieladezustand: zeigt, wie viel Ladung der Akku enthält. Bei ca. 20 % schaltet das Smartphone auf Energiesparen um.

Mikrofon/Kamera AN: Wenn man sich in einem Telefonat befindet, kann man die App wechseln, ohne dabei den Anruf zu verlassen. Das Mikrofon- bzw. Kamerasymbol wird bei Weiternutzung oben in der Statusleiste angezeigt.

Aufgabe 3

Überprüfen Sie in der Statusleiste, wie gut die Verbindung ins Telefonnetz auf Ihrem Smartphone ist.

Kursbuch Seite 10/11

WARUM ?

Die große Verbesserung zum alten Handy ist, dass Smartphones nicht nur über Telefon, sondern auch über Internet verbunden sind. Außerdem können sie über GPS geortet werden und sich über Bluetooth und NFC mit anderen Geräten kabellos verbinden.

PUNKTE

- Telefonverbindung, WLAN/Wi-Fi
- Mobile Daten, Netz
- Bluetooth, NFC
- Stumm schalten, Wecker
- Standortfreigabe
- Batterie
- Kamera / Mikrofon
- **iPhone:** Mobile Daten nur über Netz-Anzeige, z. B. LTE. Keine NFC-Anzeige. Standortfreigabe Kompassnadel.
Ab iPhone 15 Pro Aktionstaste

POSTER

ZIEL

Symbole auf der Statusleiste erkennen.

STICKER

APP

Unterscheide zwischen mobilen Daten und WLAN-Daten.

Die Statusleiste ist am oberen Rand des Bildschirms.

Fragen und Antworten:

Warum schaltet sich der Bildschirm dauernd ab?

Wenn der Bildschirm über einen längeren Zeitraum nicht berührt wird, schaltet das Smartphone den Bildschirm ab, da die Bildschirmanzeige ein Stromfresser ist. Den Zeitraum, bis automatisch abgeschaltet wird, nennt man Ruhemodus, Timeout, Ruhezustand oder automatische Sperre. Wie lange dieser Zeitraum ist, bestimmen Sie.

Auf dem Smartphone gibt es die App *Einstellungen*. Dieses App-Symbol ist meistens als Zahnrad dargestellt. Hier können sämtliche Einstellungen für das Smartphone vorgenommen werden, auch die Einstellung, um den Ruhezustand des Bildschirms zu verändern.

Wenn Sie den Zeitraum verlängern, haben Sie mehr Zeit, sich auf dem Smartphone zurecht zu finden. Nachteil ist, dass der Akkuverbrauch steigt.

Tipp: Um Akku zu sparen, schalten Sie den Bildschirm aus, wenn Sie das Smartphone nicht mehr benötigen. Tippen Sie dazu kurz auf den Ein-/Aus-Schalter.

Wo finden Sie die Einstellungen, die den Bildschirm betreffen?

Alles, was den Bildschirm betrifft, ist in den Einstellungspunkten *Anzeige*, *Display* oder manchmal auch *Sperrbildschirm* zu finden. Die Voreinstellung des *Ruhezustands* (*Bildschirm-Timeout*) beträgt meistens 30 Sekunden. Finden Sie diese Einstellung und wählen Sie fünf Minuten aus. Einstellungen müssen nicht extra gespeichert werden. Sie stellen den Wert ein und er ist automatisch gespeichert.

Warum schaltet sich das Smartphone manchmal trotzdem nach 30 Sekunden wieder ab?

Jedes Smartphone hat einen Batteriesparmodus. Wenn die Batterie nur noch zu etwa 20 % geladen ist, kann sich dieser Batteriesparmodus einschalten. Um Akkuladung zu sparen, schaltet sich das Smartphone unabhängig von der Einstellung unter *Ruhezustand/Time-out* nach 30 Sekunden ab. Jetzt ist es Zeit, den Akku des Smartphones zu laden.

Augenkomfort bzw. Blaufilter

Die Funktion Blaufilter bzw. Augenkomfort filtert blaues Licht aus der Bildschirmanzeige und damit erscheint das Display gelblicher und wärmer. Diese Funktion können Sie abends einschalten, wenn Sie am Smartphone etwas lesen. Die Idee dahinter ist, dass blaues Licht auf die Augen anregend wirkt und das Einschlafen verzögern könnte.

NOTIZEN

Aufgabe 4

Das Smartphone schaltet sich selbstständig ab, wenn es nicht genutzt wird. Stellen Sie diesen Ruhezustand auf 5 Minuten.

Kursbuch Seite 12/13

WARUM ?

Der Bildschirm ist der größte Stromfresser. Wenn Sie für eine gewisse Zeit nicht auf den Bildschirm tippen, schaltet sich der Bildschirm ab. Auf neuen Smartphones beträgt dieser Zeitraum 30 Sekunden. Die Dauer kann allerdings verlängert werden.

PUNKTE

- Verschiedene Namen: Ruhemodus, Bildschirm-Time-out, automatische Sperre, Ruhezustand, Schlafen
- Voreinstellung 30 Sekunden
- App-Einstellungen mit Symbol Zahnrad
- Anzeige / Display / Sperrbildschirm
- 5 Minuten einstellen
- Batterie-Sparmodus prüfen
- **iPhone:** *Anzeige & Helligkeit* ▶ *Automatische Sperre*

POSTER

ZIEL

Ruhezustand auf 5 Minuten stellen.

STICKER

APP

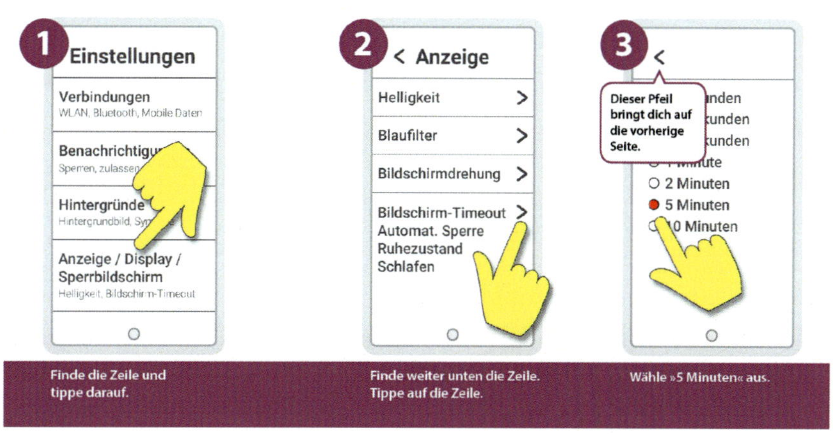

Fragen und Antworten:

Was kann die App Telefon?

Die App Telefon kann nicht nur eine Nummer wählen. Sie kann direkt ins Adressbuch schauen, führt eine Anrufliste über alle ein- und ausgehenden Anrufe und kann eine Liste Ihrer Favoriten oder meist gewählten Nummern anzeigen. Man kann aber auch wie früher eine Nummer direkt über das Ziffernfeld eingeben.

Die Anrufliste enthält alle ausgehenden und eingehenden Anrufe. Die Einträge in der Liste können gelöscht werden.

Wo ist das Ziffernfeld?

Das Symbol für das Ziffernfeld wird oft durch 9 Punkte für die Zahlen 1 bis 9 und meist darunter noch einen Extrapunkt für die Zahl Null dargestellt. Malen Sie das Symbol auf die Tafel, um den Teilnehmern den Vergleich zu einer Nummerntastatur zu veranschaulichen.

Durch Tippen auf das Symbol lässt sich das Ziffernfeld ein- bzw. ausblenden. **Sticker**

Android Smartphone (z. B. Googel Pixel) zeigen unten man unten zwischen *Wähltastatur* und *Startseite* auswählen. Startseite steht hier für die Telefonübersicht mit allen Menüpunkten, wie z. B. *Verpasste Anrufe*, *Favoriten* oder auch geblockte Spam Nummern zu finden sind.

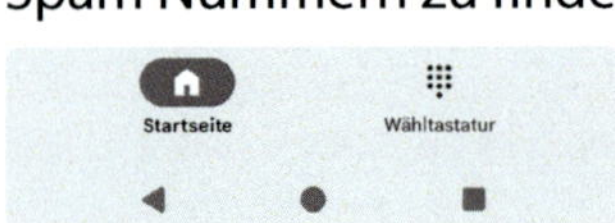

Auf einigen Smartphones, z. B. Samsung, steht das Wort *Tastatur* oder, wie beim iPhone, *Ziffernblock*, um es dem Nutzer einfacher zu machen.

Welche Nummer muss man mit dem Smartphone vorwählen?

Wenn man mit einem Smartphone eine Festnetznummer anruft, muss man die örtliche Vorwahl immer mit eingeben.

0049 ist die internationale Vorwahl für Deutschland. Man kann auch +49 wählen. Das + ist bei einigen Smartphones auf der 0 versteckt, also nur etwas länger auf die 0 drücken. Nach +49 muss die erste 0 der Ortsvorwahl weglassen werden.

Tipp: Im Adressbuch Telefonnummern immer mit internationaler und örtlicher Vorwahl einspeichern.

Tipp: Betrüger rufen aus dem Ausland willkürlich Nummern an und verdienen, wenn man sie zurückruft. Ähnlich einer 0180-Nummer.

Anrufliste löschen

Die Anrufliste enthält alle eingehenden und ausgehenden Anrufe. Die Liste kann alle Anrufe enthalten oder auf verschiedene Register aufgeteilt sein. In der Liste wird entweder der *Name* angezeigt (die Nummer ist in der App Kontakte gespeichert), nur die *Telefonnummer* (Name ist nicht gespeichert) oder *Anonym / private Nummer* (der Anrufer unterdrückt die Nummer. Anrufe aus dem Ausland von Kontakten können als *Anonym* angezeigt werden).

Es können entweder einzelne Einträge aus der Anrufliste gelöscht oder alle Einträge entfernt werden. Zum Löschen eines einzelnen Eintrags tippen Sie diesen etwas länger an und wählen dann *Löschen*; alternativ über das Drei-Punkte-Menü, dort *Löschen* finden.

Wie telefonieren Sie mit Ihrem Smartphone?

Eine Verbindung herstellen und einen Anruf starten oder annehmen, ist durch die Farbe Grün dargestellt - ein grüner Telefonhörer, auf den Sie tippen. Um das Telefongespräch zu beenden oder abzulehnen, tippen Sie auf den roten Hörer. Also die Farbe Grün startet etwas, die Farbe Rot beendet etwas.

Als Trainer ist es sinnvoll, ein Kurs-Smartphone mit eigener SIM-Karte zu verwenden. Dann können die Teilnehmer diese Nummer für die Übung nutzen.

Um Telefonieren zu üben, können sich die Kursteilnehmer sonst gegenseitig anrufen oder auf ihrem Festnetz zu Hause anrufen. Solange keiner dran geht, entstehen keine Kosten.

Aufgabe 5

Rufen Sie mich mit Ihrem Smartphone an. Nutzen Sie das Ziffernfeld, um meine Nummer einzugeben.

Kursbuch Seite 14/15

WARUM ?

Wenn es klingelt, muss man recht schnell sein. Deshalb das Telefonieren üben. Vor allem Anrufe entgegennehmen. Einfach mal sich selbst vom Festnetz zu Hause anrufen. Solange man nur kurz dran geht oder den Anruf ablehnt, entstehen nur wenig oder keine Kosten.

PUNKTE

- App Telefon
- Menü: Adressbuch, Anrufliste, Favoriten
- Ziffernfeld **Sticker**
- Anruf annehmen oder ablehnen
- Farben grün und rot
- Örtliche und internationale Vorwahl
- Teilnehmer die eigene Festnetznummer oder sich gegenseitig anrufen lassen
- **iPhone:** Menü unten, Ziffernblock **Sticker**

POSTER

ZIEL

Eine Nummer eingeben, anrufen und wieder auflegen.

STICKER

Finden Sie das Ziffernfeld?

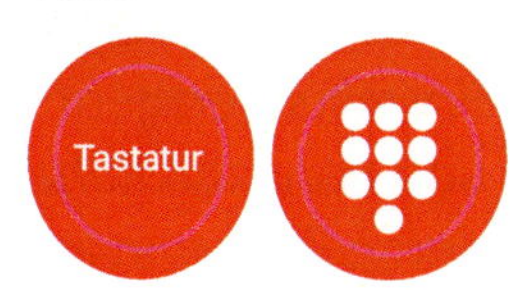

APP

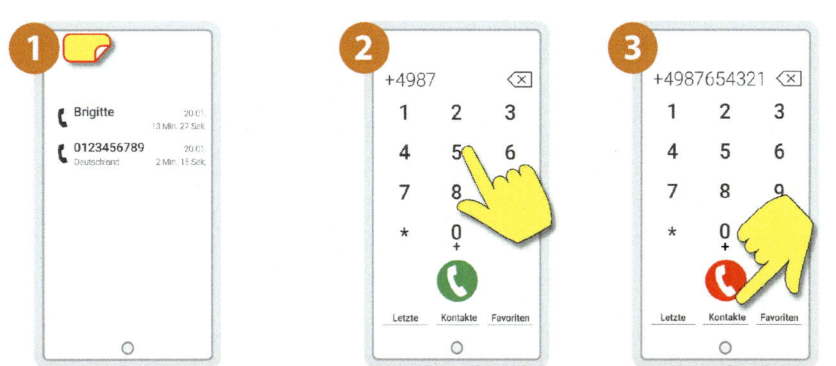

Öffne das Ziffernfeld.

Gib die Telefonnummer über das Ziffernfeld ein.

Mit das Telefonat starten und mit beenden.

Fragen und Antworten:

Wofür sind die Buttons/Tasten unten am Smartphone?

Home-Button
Die „Zurück auf Start"-Taste ist immer unten in der Mitte. Diese Taste bringt Sie immer zum Startbildschirm zurück. Die Taste ist rund, oval oder sieht manchmal aus wie ein Häuschen.

Bei einigen Smartphones ist der Home-Button noch eine physische Taste. In letzter Zeit werden Smartphones vermehrt nur mit Bildschirmtasten ausgestattet.

Je nach Version und Modell gibt es grundsätzlich zwei Möglichkeiten, um zurück zum Startbildschirm zu gelangen:

- Home-Button: Die Taste unten mittig ist der Home-Button. Bei neueren Smartphones wird der Home-Button im Vollbildmodus ausgeblendet und man muss von unten nach oben wischen, um diesen einzublenden und zurück zum Startbildschirm zu gelangen.
- Gestensteuerung: Ein kleiner Strich am unteren Bildrand zeigt an, dass man durch Wischen von unten nach oben zurück zum Startbildschirm gelangt.

„Einen Schritt zurück"-Taste **Sticker**
Beispiel: In einer der vorherigen Aufgaben haben Sie den Ruhezustand verändert. Dazu haben Sie die App *Einstellungen* geöffnet, haben *Anzeige* gewählt und dann auf *Ruhezustand* getippt, um einen anderen Zeitraum auszuwählen.

Mit der *Einen Schritt zurück*-Taste verlassen Sie die einzelnen Bereiche schrittweise. Einmaliges Antippen der Taste bringt Sie von der Auswahl des Zeitraums für den Ruhemodus wieder zurück zum Bereich *Anzeige*. Nochmaliges Antippen der Taste zeigt die Übersicht der App *Einstellungen* an. Sie verwenden diese Taste, wenn Sie beispielsweise in den Einstellungen den falschen Bereich ausgewählt haben und wieder zur Übersicht zurückkehren möchten.

- Bildschirmtaste meist in Form eines Pfeils.
- Gestensteuerung: Wischen vom rechten Rand nach innen.

Multitasking-Taste **Sticker**
Wenn man eine App benutzt hat und über den Home-Button wieder zum Startbildschirm zurückkehrt, wird diese App nicht komplett beendet, sondern läuft im Hintergrund weiter.

Diese Taste zeigt alle offenen Apps an. Hier kann man zwischen den Apps hin und her springen oder Apps beenden.

Weisen Sie die Teilnehmer darauf hin, dass die Position der Tasten (ausgenommen Home-Button) von Gerät zu Gerät verschieden ist. Bei den Samsung-Smartphones ist die Multitasking-Taste links, bei vielen Smartphones anderer Hersteller rechts.

Manche Geräte haben Bildschirmtasten, die zum Teil durch Streichen vom unteren Bildschirmrand erst sichtbar werden.

Wenn der Home-Button durch einen Strich am unteren Bildschirm ersetzt ist, gelangt man durch Ziehen vom unteren Rand bis zur Mitte des Bildschirms in den Multitasking-Modus mit allen offenen Apps.

Verschiedene Möglichkeiten, um Apps zu schließen:

- X
- Wischen
- *Alle schließen, alle beenden, alle löschen*, Papierkorb **Sticker**

Apple: Beim iPhone zweimal kurz hintereinander auf den Home-Button drücken. Ab dem iPhone X von unten bis zur Mitte des Bildschirms ziehen.

Aufgabe 6

Schließen Sie alle offenen Apps auf Ihrem Smartphone.

Kursbuch Seite 16/17

WARUM ?

Sie sind gerade dabei eine neue Telefonnummer ins Adressbuch zu schreiben und das Telefon klingelt. Sie wechseln also zur App Telefon. Würde die App Adressbuch geschlossen werden, wären Ihre Eingaben gelöscht. Deshalb laufen Apps im Hintergrund weiter. Das nennt man Multitasking.

PUNKTE

- „Zurück auf Start"-Taste = Home-Button
- „Ein Schritt zurück" **Sticker**
- „Multitasking" **Sticker**
- Möglichkeiten, um offene Apps zu schließen
- Alle Apps schließen **Sticker**
- **iPhone:** Hat nur Home-Button. Zweimal auf Home-Button für Multitasking **Sticker**.

- **Ab iPhone X:** Waagrechten Strich unten zur Mitte ziehen **Sticker**

POSTER

ZIEL

Tasten unten erkennen.
Alle offenen Apps mit den verschiedenen Möglichkeiten schließen.

Finden Sie „Multitasking", „Ein Schritt zurück" und „Alle Apps schließen".

STICKER

APP

Wähle zwischen Home-Button und Gestensteuerung. Öffne den Startbildschirm.

Finde die Taste »Offene Apps« und die Taste »Ein Schritt zurück«.

Apps alle auf einmal oder einzeln durch Tippen auf X oder Wischen schließen.

Fragen und Antworten:

Wie öffnet man die Schnellzugriffleiste?

Wenn Sie vom oberen Bildschirmrand nach unten ziehen, werden Benachrichtigungen und die Schnellzugriffleiste eingeblendet. Je nach Gerät/ individuellen Einstellungen werden die Informationen gemeinsam oder getrennt angezeigt. Daraus ergeben sich unterschiedliche Handhabungen.

Separat: Ziehen Sie von der rechten oberen Ecke nach unten um die Schnellzugriffsleiste anzuzeigen. Ziehen Sie von der linken oberen Ecke nach unten, um die Benachrichtigungen einzublenden.

Zusammen: Ziehen Sie vom oberen Rand nach unten. Ein Teil der Schnellzugriffsleiste wird angezeigt und darunter die Benachrichtigungen.

Ziehen Sie ein zweites Mal nach unten, um weitere Symbole der Schnellzugriffsleiste einzublenden. Bei einigen Modellen sind die Symbole waagerecht angeordnet und man schiebt nach links, um alle Symbole zu sehen. Manche Handys haben in der Schnellzugriffleiste eine zweite Seite.

Die Teilnehmer finden durch Ausprobieren heraus, wie es an Ihrem Smartphone funktioniert und kleben dann den Sticker entweder oben in die Mitte (gemeinsame Anzeige) oder in die rechte Ecke (getrennte Anzeige). **Sticker**

Tipp: Zur Änderung zeigen Sie die Schnellzugriffsleiste an, tippen auf das Stift-Symbol und wählen *Paneel-Einstellungen* aus. Hier können Sie entscheiden, ob Benachrichtigungen und die Schnellzugriffsleiste separat oder zusammen angezeigt werden sollen.

iPhone: vom unteren Rand nach oben ziehen.

Ab iPhone X: von der rechten oberen Ecke zur Mitte ziehen.

Was macht man in der Schnellzugriffleiste?

Die Schnellzugriffleiste lässt Sie Funktionen einfach an- oder abschalten, ohne dabei die App *Einstellungen* öffnen zu müssen. Die Farbe der Symbole signalisiert dabei, ob es auf AN oder AUS steht. Ein graues Symbol zeigt, dass die Funktion ausgeschaltet ist. Eine Übersicht der wichtigsten Symbole finden Sie im Kursbuch.

Welche Funktionen sind gewöhnlich vorhanden?

- WLAN
- Mobile Daten
- Bluetooth
- Standortfreigabe
- Nicht stören
- Bildschirm drehen/sperren
- Flugmodus
- Taschenlampe

Bluetooth und WLAN dienen dem schnurlosen Verbindungsaufbau. Viele Airlines erlauben mittlerweile die Verwendung von Bluetooth im Flugzeug, damit der Fluggast seine kabellosen Kopfhörer verwenden kann. Auch WLAN wird auf manchen Flügen angeboten.

Tipp: Längeres Drücken auf ein Symbol öffnet die App *Einstellungen*. Die Anordnung der Symbole kann verändert werden.

Tipp iPhone: Ab iOS 18 ist das Kontrollzentrum über ein Plus links oben anpassbar. Durch Wischen nach oben oder unten gelangt man zu Optionsseiten für Musik oder Favoriten (Symbole rechter Bildschirmrand).

Was sind Benachrichtigungen?

Benachrichtigungen nennt man auch Push-Nachrichten. Push heißt schieben. Dabei handelt es sich um einen kurze Nachricht, die auf eine neue Nachricht in einer App hinweist. Die kurze Nachricht wird auf den Startbildschirm geschoben. Ein Symbol erscheint oben links auf dem Startbildschirm. Durch ziehen von oben werden alle Push-Benachrichtigung eingeblendet. Auch hier findet sich das Symbol am Anfang der Benachrichtigung und weist auf die dazugehörige App hin.

- Durch tippen auf den kleinen Pfeil rechts in der Benachrichtigung, kann man mehr Informationen einblenden.
- Durch tippen auf die Benachrichtigung, öffnet man die dazugehörige Nachricht in der App.
- Durch ziehen nach links oder rechts, wischt man die Benachrichtigung weg. Damit verschwindet auch das dazugehörige Symbol oben links am Bildschirm. Benachrichtigungen, die sich nicht wegwischen lassen, müssen erst in der App bearbeitet werden, damit sie verschwinden.
- Benachrichtigungen kann man in den Einstellungen zur App abschalten.

Aufgabe 7

Sie sind im Flugzeug. Öffnen Sie die Schnellzugriffleiste und schalten Sie den Flugmodus ein.

Kursbuch Seite 18/19

WARUM ?

Im Flugzeug müssen sämtliche störende Funkverbindungen deaktiviert sein. Sie möchten aber Ihr Smartphone nicht komplett abschalten, da Sie vielleicht damit ein Buch lesen oder Musik hören wollen. Das können Sie, wenn Sie den Flugmodus auf Ihrem Smartphone aktivieren. Damit das einfach geht, gibt es die Schnellzugriffleiste. Hier kann man Funktionen schnell an- und abschalten.

PUNKTE

- Schnellzugriffleiste
- Funktion in grau heißt abgeschaltet
- Taschenlampe finden
- Flugzeug finden
- Flugmodus in Statusleiste überprüfen
- Benachrichtigungen
- **iPhone:** Vom unteren Rand nach oben ziehen.
- **Ab iPhone X:** Von der rechten oberen Ecke zur Mitte ziehen.

POSTER

ZIEL

Verschiedene Funktionen an- und abschalten. Taschenlampe finden, Flugmodus einschalten und in der Statusleiste die Anzeige dazu überprüfen.

STICKER

Öffnen Sie die Schnellzugriffleiste.

APP

Ziehe vom oberen Bildschirmrand oder der rechten Ecke nach unten.

Ziehe noch einmal nach unten oder wische, um das Symbol »Flugzeug« zu finden.

Tippe auf das »Flugzeug«. Der Flugmodus ist AN. Überprüfe es in der Statusleiste.

Fragen und Antworten:

Wo werden Kontakte auf Ihrem Smartphone gespeichert?

Jedes Smartphone hat eine Kontakte-App, in der Namen, Telefonnummern, Adressen, E-Mail-Adressen, Geburtstage und sogar ein Foto zum Kontakt gespeichert werden können.

Es gibt verschiedene Möglichkeiten, wo die Daten der App Kontakte abgespeichert werden:

SIM-Karte: Hier wird nur der Name und die Telefonnummer gespeichert. So können diese Daten einfach mit der SIM-Karte auf ein neues Gerät übertragen werden. Weitere Informationen können dann nicht hinterlegt werden.

Telefonspeicher: Hier kann man alle Daten ohne Beschränkung eingeben. Sollte das Smartphone verloren gehen, sind die Daten auch weg.

Google-Konto: Google bietet über die Cloud an, mit einer MeinKonto@gmail.com-Adresse Ihre Daten in der Cloud zu sichern. Wenn Sie bei der Eingabe Ihrer Kontakte als Speicherort Ihr Google-Konto angeben, dann werden die Daten online bei Google gespeichert. Das hat folgende Vorteile: Die Kontaktdaten können leicht auf ein neues Smartphone überspielt werden. Sollte das Handy verloren gehen, sind die Daten trotzdem noch da. Die Daten können auch am Computer aufgerufen werden.

Herstellerkonto: Falls ein Samsung-Konto oder ein weiteres E-Mail-Konto, z. B. Outlook.de, hinterlegt wurde, können die neuen Kontaktdaten auch hier in der Cloud gespeichert werden.

iPhone: Ein neuer Kontakt wird automatisch auf die interne Speicherkarte des Smartphones gesichert. Zusätzlich können die Daten auch in die iCloud gespeichert werden.

Wie geben Sie einen neuen Kontakt ein?

Um eine neue Telefonnummer zu speichern, suchen wir als erstes ein Plus. **Sticker**

Dann öffnet sich die Eingabemaske und man kann auswählen, wo der Kontakt gespeichert wird (SIM-Karte, Telefonspeicher oder Gmail-Konto). Dann folgen die Kontaktinformationen:

- Name und Telefonnummer eingeben.
- Ein Foto hinzufügen. Einfach auf das Symbol Kamera tippen und ein Foto auswählen.
- Geburtstag, Adresse und E-Mail hinzufügen.

Die Symbole Plus und Minus fügen eine Zeile hinzu oder löschen eine komplette Zeile: die Farbe Grün, um hinzuzufügen, und Rot, um zu löschen. Der eigene Kontakt ist der erste in der Namensliste der Kontakte.

Wenn alle Daten eingegeben sind, muss der Kontakt gespeichert werden. Das Symbol zum Speichern befindet sich meistens in der rechten oberen Ecke. **Sticker**

Der Pfeil links oben bringt Sie zur Übersicht aller Kontakte zurück.

Sie sollten darauf hinweisen, dass wir den Kontakt auch wieder löschen werden.

Verwenden Sie den vorgegebenen Namen *Anne Schöne*. Dieser wird in der App *Kontakte* oben angezeigt und kann so leicht gefunden werden. Zeigen Sie Teilnehmern, deren Tastatur keine Umlaute anzeigt, wie Sie durch längeres Drücken auf den Buchstaben Umlaute und Sonderzeichen erhalten.

Wo finde ich meine eigene Handynummer?

In den Einstellungen unter dem Punkt *Verbindungen, Mobilfunk, SIM-Karten, SIM-Manager, Telefoninfo* oder *Über das Telefon* wird bei den neueren Modellen die eigene Mobilfunknummer angezeigt.

Aufgabe 8

Speichern Sie die Nummer von Anne ab:

Anne Schöne Tel.: +49123456789

Kursbuch Seite 20/21

WARUM ?

Das Smartphone ist vergleichbar mit dem Computer, es ist ein Speichermedium. Darauf können Sie Daten und Informationen aller Art speichern, z. B. Ihr Adressbuch mit allen Telefonnummern, postalischen Adressen, E-Mail-Adressen, aber auch Geburtstage oder ein Foto der Person.

PUNKTE

- Speicherort: SIM-Karte, Telefon, Gmail-Konto
- Plus **Sticker**
- Speicherdaten: Name, Telefonnummer, Adresse
- E-Mail, Geburtstag, Foto
- Speichern **Sticker**
- Pfeil links oben zurück zur Übersicht
- **iPhone:** Gerätespeicher und iCloud, Plus **Sticker**, *Fertig* **Sticker**

POSTER

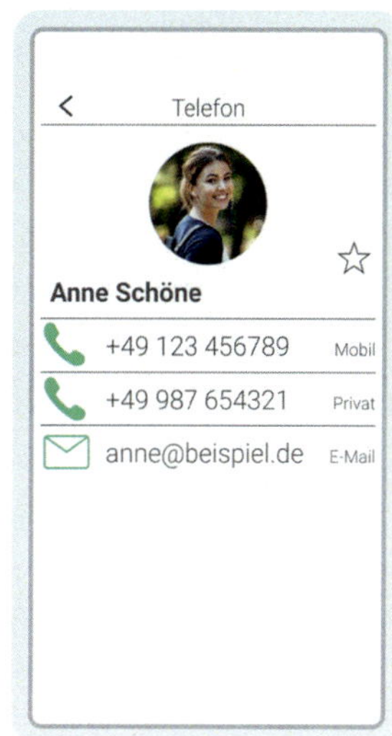

ZIEL

Den Kontakt von Anne anlegen und dann in der Liste der Kontakte finden.

STICKER

Finden Sie das Plussymbol.
Finden Sie Speichern.

APP

Finde und tippe auf das Plus oder auf »Hinzufügen«.

Gib Name, Telefonnummer, E-Mail und eventuell auch ein Foto ein.

Finde »Speichern«. Speichere den Kontakt.

Fragen und Antworten:

Wie finde ich Anne in meinen Kontakten wieder?

Öffnen Sie die App Kontakte und suchen Sie in der Liste nach Annes Namen. Tippen Sie auf die Zeile mit dem Namen tippen.

Um zwischen den geöffneten Kontaktdaten und der Liste hin- und herzuwechseln, gibt es links oben einen Pfeil. Dieser bringt Sie wieder zur Übersicht zurück.

Kontakte kann man über die App Kontakte oder über die App Telefon finden und öffnen. In der App Telefon werden beim Tippen auf den Namen erst einmal nur App-Symbole mit Möglichkeiten angeboten, um die Person zu kontaktieren, z. B. Anruf, Nachricht (SMS), Video. Durch Tippen auf i werden alle Kontaktinformationen angezeigt.

Falls mehrer Telefonnummern für einen Kontakt hinterlegt wurden, werden diese ebenfalls angezeigt. Man kann eine Telefonnummer als Standard festlegen.

Wie mache ich Anne zum Favoriten?

Indem Sie einfach nach dem Stern suchen. Ähnlich einer Hotelbewertung steht der Stern für Favorit.

Wenn der Stern angetippt wird, nimmt er eine Farbe an. Bei allen Nicht-Favoriten ist der Stern grau. **Sticker**

iPhone: Die Favoritenfunktion finden Sie unten in der Kontaktdatenliste. Hier auf *Als Favoriten sichern* tippen. Im nächsten Schritt wählen Sie aus, wie Sie standardmäßig Kontakt aufnehmen möchten. Tippen Sie zunächst auf *Anrufen*, dann auf *Telefon* und wählen die gewünschte Telefonnummer aus.

Falls für eine Person z. B. Mobil- und Festnetznummer hinterlegt sind, kann man auch zwei Favoriten erstellen.

In der App Telefon - Favoriten kann man auch direkt Favoriten über das Plus rechts oben hinzufügen.

Wo finde ich meine Favoriten wieder?

Indem man die Telefon-App öffnet und im Menü den Eintrag *Favoriten* oder *Kontakte* findet. Unter dem Menüpunkt *Kontakte* erscheint die Favoritenliste ganz oben, gefolgt von häufig angerufenen Telefonnummern und weiter unten die Kontakte in alphabetischer Reihenfolge. Diese sind in der Regel nach dem Vornamen sortiert.

iPhone: Hier steht ein eigener Menüpunkt *Favoriten* unten in der Telefon-App zur Verfügung.

NOTIZEN

Aufgabe 9

Fügen Sie Anne zu Ihren Favoriten hinzu. Überprüfen Sie in der App Telefon die Liste Ihrer Favoriten.

Kursbuch Seite 22/23

WARUM ?

Die Liste der Kontakte kann sehr lang sein. Vor allem Freunde oder Familie schnell zu finden, ist dann schwierig. Deshalb kann man wichtige Kontakte zu *Favoriten* machen. Die Liste Ihrer *Favoriten* wird in der App *Telefon* gesondert angezeigt und so finden Sie besondere Kontakte schneller.

PUNKTE

- Kontakt öffnen
- Favoriten Stern finden
  Sticker
- App Telefon öffnen und überprüfen
- **iPhone:** Favoriten werden der App Telefon, Nachrichten oder Video zugeteilt.
  Zu Favoriten **Sticker**

POSTER

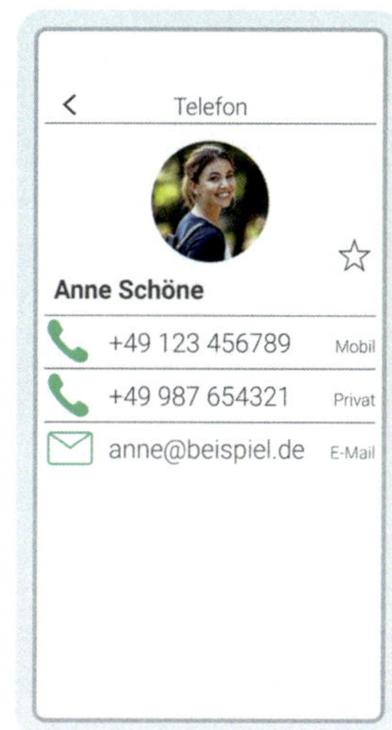

ZIEL

Anne zu den Favoriten hinzufügen und in der App Telefon überprüfen.

STICKER

Finden Sie den Stern oder Favorit hinzufügen.

APP

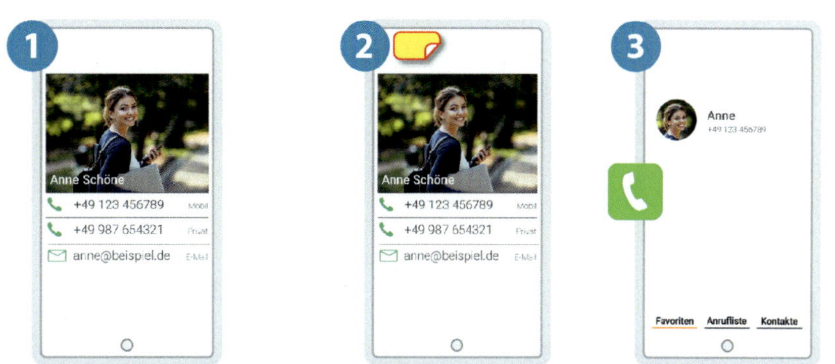

Öffne den Kontakt von Anne.

Finde den Stern oder »Favorit hinzufügen« und tippe darauf.

Öffne die App »Telefon« und überprüfe Favoriten oder Kontakte.

Fragen und Antworten:

Wie kann ich den Kontakt von Anne wieder löschen?

Öffnen Sie den Kontakt von Anne, sodass die Kontaktdaten angezeigt werden. Dazu tippen Sie den Kontakt in der Übersicht (Kontaktliste) der App Kontakte an. Bei manchen Smartphones muss noch auf Details getippt werden, um die vollständigen Kontaktdaten anzuzeigen.

Danach *Löschen* finden: Bei vielen Smartphones ist es oben rechts im Menü versteckt - einfach auf das Drei-Punkte-Symbol tippen und *Löschen* auswählen. Das Löschen muss bestätigt werden, damit man nicht aus Versehen etwas löscht.

Sticker

iPhone: Kontakt bearbeiten und dann ganz unten *Kontakt löschen.*

Tipp: Alternativ kann man in der Liste der Kontaktdaten etwas länger auf einen Namen tippen. Dann erscheint auch *Löschen*.

Aber Vorsicht! Bei dieser Methode können sehr einfach ungewollt mehrere Kontakte auf einmal gelöscht werden.

Wo finde ich alle Kontakte?

Beim Anlegen des Kontakts konnte dieser an verschiedenen Orten gespeichert werden, z. B. mit dem Google- (Gmail-) Konto, mit dem Samsung-Konto, mit einem weiteren Konto, z. B. Microsoft-Outlook etc., auf der SIM-Karte oder auf dem Telefon. Wichtig ist, dass immer alle Kontakte in der App angezeigt werden. Falls ein Kontakt „fehlt", könnte das an diesem Umstand liegen. Über das Drei-Punkte- bzw. Drei-Striche-Menü in der App Kontakte wechseln Sie ggf. zu *Alle Kontakten*.

Wo finde ich den Papierkorb?

Bei manchen Smartphones werden gelöschte Fotos, Kontakte, E-Mails oder auch Notizen mittlerweile erst in den Ordner „Papierkorb" verschoben. Dort bleiben sie, je nach Smartphone, für eine gewisse Zeit und werden erst danach automatisch und unwiderruflich entfernt. So wird vermieden, dass man Informationen oder Kontakte aus Versehen löscht oder vielleicht nach ein paar Tagen feststellt, dass man diese Information doch noch braucht. Zum Ordner „Papierkorb" gelangen Sie über einen Menüpunkt auf der Übersichtsseite. Zum Beispiel finden Sie auf der Übersichtsseite aller Kontakte einen Menüpunkt mit drei Punkten oder drei Strichen. In diesem Menü befindet sich der Menüpunkt „Papierkorb". Durch Tippen auf die Zeile gelangen Sie zum Papierkorb und können diesen „leeren", also die Informationen endgültig löschen, oder Kontakte „wiederherstellen", sie dadurch zurück zur Kontaktliste verschieben.

NOTIZEN

Aufgabe 10

Löschen Sie die Daten von Anne aus Ihren Kontakten.

Kursbuch Seite 24/25

WARUM ?

Jedes Gerät hat seine eigene Designsprache, die sich innerhalb des Smartphones für verschiedene Apps wiederholt. Löschen ist ein gutes Beispiel dafür. Man muss es nur einmal gefunden und verstanden haben. Dann macht es keinen großen Unterschied, ob man einen Kontakt oder ein Foto löscht.

PUNKTE

- Finde *Löschen* **Sticker**
- Löschen muss bestätigt werden
- **iPhone:** Kontakt bearbeiten und dann ganz unten ▶ *Kontakt löschen* **Sticker**

POSTER

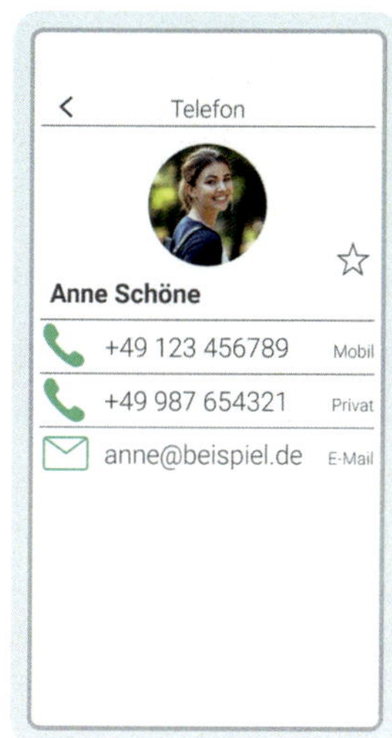

ZIEL

Den Kontakt von Anne löschen.

STICKER

Finden Sie Löschen.

APP

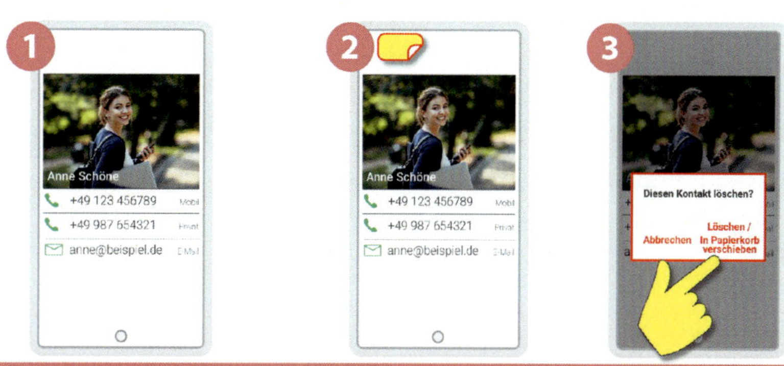

Öffne den Kontakt von Anne.

Finde »Löschen« oder »In Papierkorb verschieben«. Tippe darauf.

Bestätige, dass gelöscht bzw. in den Papierkorb verschoben werden soll.

Fragen und Antworten:

Was kann die App Uhr alles?

In der Menüzeile der App *Uhr* gibt es bei den meisten Smartphones folgende Funktionen:

- **Weltuhr:** Hier können Sie sich Uhrzeiten verschiedener Städte anzeigen lassen.
- **Stoppuhr:** Diese Uhr zählt von 0 aufwärts.
- **Timer/Eieruhr:** Diese Uhr zählt von einer vorgegebenen Zeitdauer abwärts.
- **Wecker/Alarm:** Hier kann man verschiedene Weckuhrzeiten einstellen.
- **Schlafenszeit iPhone:** Für das iPhone gibt es die Funktion Schlafenszeit. Hier legen Sie zunächst fest, wie lange Sie schlafen möchten. Dann entscheiden Sie entweder, wann Sie zu Bett gehen, oder aufstehen möchten. Das iPhone erinnert Sie, dass es Zeit ist, ins Bett zu gehen. Wird die Schlafenszeit nicht als separate Weckzeit angezeigt, muss sie bei Bedarf konfiguriert werden.

Die Symbole für diese Menüpunkte sind immer ähnlich. Der Timer ist beispielsweise immer als Sanduhr dargestellt.

Wie stelle ich mir einen Timer?

Der Timer ist vergleichbar mit einer Eieruhr. Wählen Sie den *Timer* in der Menüzeile der App *Uhr* durch Antippen aus. Stellen Sie die Dauer ein und starten Sie den Timer.

Die App zählt die Minuten/Sekunden rückwärts bis auf 0 und klingelt dann. Es gibt auf allen Smartphones verschiedene Klingeltöne, unter denen einer ausgewählt werden kann.

Meistens kann man sich Timer-Zeiten abspeichern. So muss man nicht jedes Mal neu die Zeit einstellen.

Wie stoppt man den Klingelton?

Wenn es klingelt, gibt das Smartphone uns einen Hinweis, wie man den Klingelton wieder ausstellt.

Achten Sie auf die Anzeige und versuchen Sie dann, durch Tippen oder Wischen den Klingelton zu stoppen.

Da der Klingelton auch im Sperrbildschirm klingelt und man hier nicht tippen kann, wird der Ton meistens durch ein Wischen gestoppt.

NOTIZEN

Aufgabe 11

Stellen Sie sich einen Timer, der nach einer Minute klingelt.

Kursbuch Seite 26/27

WARUM ?

Der Timer ist vergleichbar mit einer Eieruhr. Man hat einen Kuchen im Ofen oder muss in 45 Minuten losgehen. Einfach einen Timer stellen.

PUNKTE

- App Uhr
- Menü: Alarm/Wecker, Stopp-uhr, Weltuhr, Timer
- Zeit einstellen und Timer starten
- Klingelton stoppen
- **iPhone:** Menüpunkt Schlafenszeit

POSTER

ZIEL

Einen Timer stellen, starten und, wenn der Timer klingelt, den Klingelton ausschalten.

STICKER

APP

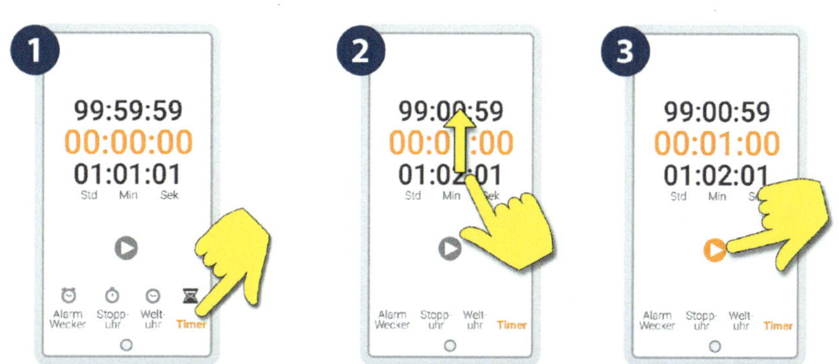

Wähle »Timer« aus. Stelle die Uhrzeit auf 1 Minute ein. Starte den Timer.

Fragen und Antworten:

Was kann der Wecker/Alarm?

Der Wecker kann nicht nur zu einer bestimmten Zeit klingeln. Man kann einstellen, an welchen Tagen er klingeln soll, ob es eine Schlummerfunktion gibt, mit welchem Klingelton man geweckt werden will und bei einigen Smartphones kann man sogar die Uhrzeit vorlesen lassen.

Wie stelle ich einen Wecker?

In der Menüzeile muss zuerst *Wecker/Alarm* ausgewählt werden, dann das Plus gesucht und angetippt werden. **Sticker**

Jetzt öffnet sich die Eingabemaske:

- Was immer man eingeben möchte, muss erst angetippt werden, z. B. um eine Wiederholung einzugeben, auf *Wiederholung* tippen.
- Die Uhrzeitangabe kann je nach Smartphonetyp über Rädchen oder Zeiger eingestellt werden. Oft lassen sich die Zahlen auch antippen und dann bekommt man ein Ziffernfeld und kann die Zahlen eintippen.
- Bei der Auswahl von Tagen zur Wiederholung des Alarms zeigen manche Smartphones gleich die Wochentage an. Auch hier gilt: Die farbig dargestellten Symbole sind angeschaltet.
- Wenn das Smartphone eine Eingabe bestätigt haben will, ist der Button dazu ein *OK* oder ein Häkchen.
- Man kann dem Alarm auch einen Namen geben, z. B. Sport am Montag.

Zum Schluss das Speichern nicht vergessen. **Sticker**

Nicht immer muss die Weckzeit gespeichert werden: Mit Bestätigung der Weckzeit (OK-Button) wird die Uhrzeit in der Übersicht angezeigt. Die weiteren Einstellungen sind dieser untergeordnet, zu erkennen am geöffneten Pfeilsymbol ∧. Für eine übersichtliche Darstellung der Weckzeiten muss man das Pfeilsymbol anklicken, um die weiteren Informationen auszublenden.

NOTIZEN

Aufgabe 12

Stellen Sie sich einen Wecker auf 7 Uhr.
Er soll jeden Montag klingeln.

Kursbuch Seite 28/29

WARUM ?

Mit der App Uhr kann man sich viele verschiedene Wecker stellen. Diesen Wecker kann ich programmieren. Ein Wecker kann auch eine Erinnerung sein, z. B. zur Tabletteneinnahme.

PUNKTE

- Plus **Sticker**
- Daten eingeben
- Uhrzeit eingeben
- Wiederholung eingeben
- Bestätigung OK oder Häkchen
- Speichern **Sticker**
- **iPhone:** Menü unten und Plus oben, Plus **Sticker**, *Sichern* **Sticker**

POSTER

ZIEL

Einen neuen Wecker mit Wiederholung stellen.

STICKER

Finden Sie Neuer Alarm.
Finden Sie Speichern.

APP

Wähle »Alarm/Wecker« aus. Finde und tippe auf das Plus.

Stelle die Uhrzeit auf 7:00 Uhr. Gib Wiederholung »Montag« ein.

Finde das Symbol für »Speichern«. Speichere den Wecker.

Fragen und Antworten:

Was ist ein Ein- bzw. Ausschalter auf dem Smartphone ?

Das Symbol für Schalter ist ein waagrechtes Oval mit einem Punkt an einer Seite. Das stellt einen Schalter dar und man kann den Punkt auf die linke oder rechte Seite stellen. Ob der Schalter auf AN oder AUS steht, zeigt die Farbe des Schalters. Grau bedeutet ausgeschaltet, farbig eingeschaltet. Die Farbe ist je nach Smartphone verschieden. Manche Smartphones haben auch ein Weckersymbol, das bei eingeschaltetem Wecker grün ist und bei ausgeschaltetem Wecker grau.

Wie funktioniert ein Schalter auf dem Smartphone?

Man kann an dem Punkt ziehen oder einfach darauf tippen, um ihn von links nach rechts zu bewegen.

Dabei verändert der Schalter die Farbe. Wenn man einen Wecker nicht braucht, weil vielleicht gerade Ferien sind, dann muss man ihn nicht komplett löschen, sondern kann ihn für die Ferienzeit einfach auf *AUS* stellen.

Wie überprüft man, ob der Wecker angeschaltet ist?

Ob ein Alarm/Wecker an- oder ausgeschaltet ist, können Sie über das Symbol *Wecker* in der Statusleiste überprüfen. Nur wenn dort ein kleiner Wecker zu sehen ist, klingelt der Wecker auch. Welcher Wecker wann klingelt, muss man dann aber in der App *Uhr* überprüfen.

Tipp: Nur Weckzeiten, für die eine Wiederholung eingegeben wurde, müssen gesondert ausgeschaltet werden. Wenn Sie eine einmalige Weckzeit eingegeben haben, dann wird diese, nachdem man beim Wecken den Klingelton abgeschaltet hat, dadurch auf AUS gestellt.

Tipp iPhone: Im Kontrollzentrum erscheint bei eingeschaltetem Wecker das Weckersymbol.

NOTIZEN

Aufgabe 13

Sie sind im Urlaub und brauchen keinen Wecker.
Stellen Sie den Wecker auf AUS.

Kursbuch Seite 30/31

WARUM ?

Jeder einzelne Wecker kann an- oder ausgeschaltet werden. So muss man nicht jedes Mal einen neuen Wecker stellen, sondern nur die schon vorhandene Alarm-Einstellung auf AN/AUS stellen.

PUNKTE

- Schalter
- AN/AUS
- Überprüfen in Statusleiste
- **iPhone:** Schalter grün für AN

POSTER

ZIEL

Den Wecker aus- bzw. anschalten und dabei das Symbol Wecker in der Statusleiste überprüfen.

STICKER

APP

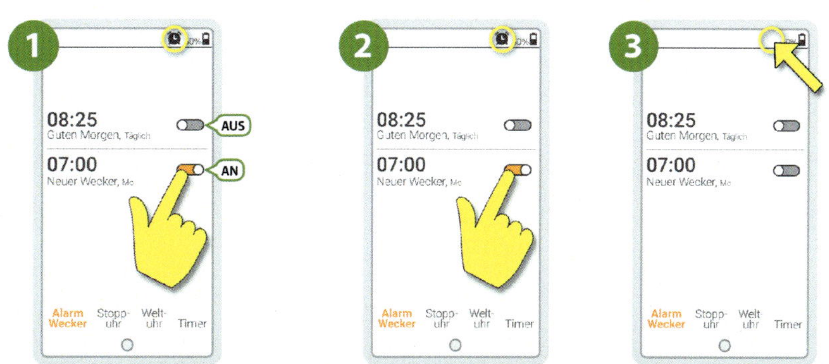

Es gibt pro Weckzeit einen Schalter zum Ein- und Ausschalten.

Tippe auf den Schalter, um den Wecker auszuschalten.

Überprüfe in der Statusleiste, ob alle Wecker ausgeschaltet sind.

Fragen und Antworten:

Wo ist *Löschen* auf Ihrem Handy?

Es gibt nicht so viele Wege, um etwas auf dem Smartphone zu löschen. Die drei am häufigsten angewandten Möglichkeiten sind:

1. Auf ein Drei-Punkte-Symbol tippen und *Löschen* oder *Bearbeiten* auswählen.
2. Etwas länger auf den zu löschenden Eintrag auf der Übersichtsseite drücken und dann erscheint das Papierkorbsymbol.
3. Den entsprechenden Eintrag öffnen und darin befindet sich das Papierkorbsymbol oder *Löschen*.

Beim Wecker ist es meistens die zweite oder dritte Möglichkeit. **Sticker**

Löschen muss oft noch einmal bestätigt werden. Als würde Ihr Handy fragen: „Willst du das wirklich löschen?" **Sticker**

iPhone: Auf *Bearbeiten* oben links tippen oder die Zeile mit dem Wecker nach links ziehen. Die Schlafenszeit kann nicht gelöscht werden. Sie kann nur auf AUS geschaltet werden.

NOTIZEN

Aufgabe 14

Löschen Sie den Sieben-Uhr-Wecker.

Kursbuch Seite 32/33

WARUM ?

Jedes Smartphone spricht eine etwas andere Sprache. Wenn man auf seinem Smartphone *Löschen* einmal gefunden hat, findet man es auch in anderen Apps wieder.

PUNKTE

- Löschen finden **Sticker**
- Wecker auswählen
- Löschen bestätigen **Sticker**
- **iPhone:** Bearbeiten oben links tippen oder Zeile nach links ziehen *Löschen* **Sticker**

POSTER

ZIEL

Den Sieben-Uhr-Wecker löschen.

STICKER

Finden Sie Löschen. Bestätigen Sie erneut Löschen.

APP

Finde »Löschen« und tippe darauf.

Wähle den Sieben-Uhr-Wecker aus.

Bestätige »Löschen«.

Fragen und Antworten:

Was ist ein Menü auf dem Smartphone?

Der Bildschirm des Smartphones ist klein. Aus diesem Grund werden Funktionen, die nicht so oft benötigt werden, in einem Menü gesammelt. Zum Einblenden einer Auswahlliste aller Funktionen tippt man auf das Menüsymbol. Gebräuchliche Symbole sind:

- drei waagrechte Striche oder
- drei Punkte übereinander oder auch nebeneinander.

Wo finde ich in der App Kalender eine Monats- oder Jahresübersicht?

Um schnell zum 24. Dezember zu gelangen, sollten Sie in die Monatsansicht wechseln. Dazu gibt es bei vielen Kalendern ein Menü, das verschiedene Ansichtsformen, wie Jahr, Monat, Woche oder Tag, zur Verfügung stellt. Andere Smartphones haben einen gesonderten Button *Ansicht*.

Nachdem Sie die Monatsansicht eingestellt haben, wechseln Sie durch horizontales Wischen nach links durch die Monate.

iPhone: Über den Pfeil links oben können Sie bis zur Jahresübersicht zurück gehen. Tippen Sie in der Jahresübersicht auf den gewünschten Monat, um diesen anzuzeigen, und dann auf einen Tag. Durch Wischen nach oben bzw. unten wechseln Sie je nach gewählter Ansicht zwischen den einzelnen Jahren oder Monaten.

Tipp: Die meisten Kalender-Apps haben eine eigene Schaltfläche, um sofort wieder zum aktuellen Datum zurückzukehren.

Wie werden Geburtstage / Feiertage im Kalender angezeigt?

Auch der Kalender ist mit einem Konto verknüpft: Für das iPhone ist das das iCloud-Konto, für Android-Geräte das Google-Konto. Weitere Konten können hinzugefügt werden, z. B. Samsung-Konto etc. Diese Konten sind auch mit der App Kontakte verknüpft. So können Geburtstage, die Sie in der App Kontakte eintragen, im Kalender angezeigt werden.

Viele Konten bieten darüber hinaus auch die Option, Feiertage einzublenden.

Zur Anzeige der verbundenen Konten tippen Sie im Kalender meist links oben auf das Menüsymbol. Im Menü sind die verbundenen Konten aufgeführt. Sofern vorhanden, finden Sie unter dem jeweiligen Konto ein Feld für Geburtstage und Feiertage. Die Anzeige können Sie durch Antippen aktivieren bzw. deaktivieren.

NOTIZEN

Aufgabe 15

Schauen Sie im Kalender, ob Weihnachten dieses Jahr ein Mittwoch ist.

Kursbuch Seite 34/35

WARUM ?

Jedes Smartphone hat einen Kalender, den Sie so immer bei sich tragen. Dieser ist nicht auf das aktuelle Jahr beschränkt. Die Kalenderdarstellung kann verändert werden. Ganz nach Belieben kann das komplette Jahr, ein Monat, eine Woche oder nur ein Tag angezeigt werden.

PUNKTE

- Menü
- Jahresübersicht
- Den 24. Dezember finden
- **iPhone:** Oben links *Jahresübersicht*. Auf Monat tippen und dann nach oben/unten wischen
  Jahresübersicht **Sticker**

POSTER

ZIEL

Den 24. Dezember finden.

STICKER

Finde das Symbol zur Änderung der Kalenderdarstellung.

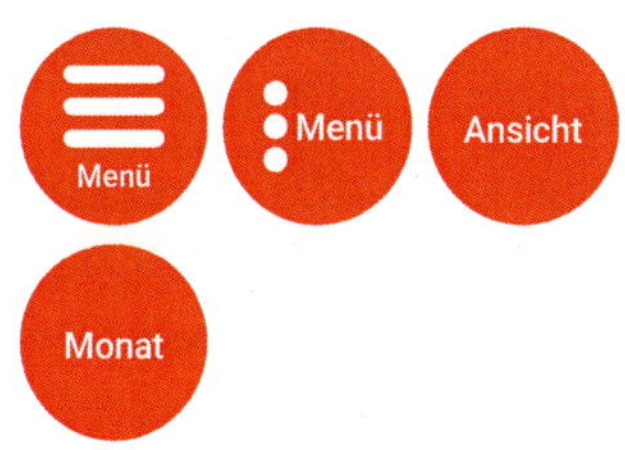

APP

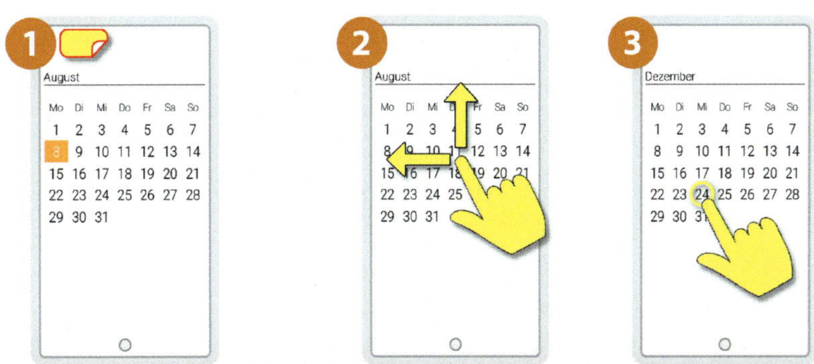

Finde das Symbol, mit dem du die Ansicht auf Monat oder Jahr stellen kannst.

Wische nach links oder nach oben, um weiterzublättern.

Tippe auf den Tag, an dem du einen Termin eingeben willst.

Fragen und Antworten:

Wie gibt man einen neuen Termin in den Kalender ein?

Auf einem Android-Smartphone ist der Google-Kalender und oft noch eine App des Herstellers, z. B. eine Samsung Kalender-App vorinstalliert. Zur Eingabe eines neuen Termins suchen Sie einfach wieder ein Plus und tippen es an. Bei Verwendung des Google-Kalenders muss dann noch *Termin* ausgewählt werden. **Sticker**

Die Eingabemaske für einen neuen Termin öffnet sich.

- Geben Sie dem Termin zunächst eine Bezeichnung, z. B. Friseur, Arzt oder Sport, und fügen Sie ggf. eine Adresse hinzu.
- Durch Tippen auf *Datum* oder *Uhrzeit* kann man die Daten eingeben. Es reicht eine Anfangsuhrzeit. Als Dauer wird automatisch eine Stunde vorgegeben.

Zum Schluss an das Speichern denken. **Sticker**

Was kann der Kalender sonst noch?

- Auch Termine können sich, wie der Wecker, wiederholen; dazu auf *Wiederholung* tippen.
- Termine können auch als *ganztägig* eingetragen werden. Dazu den entsprechenden Schalter auf *AN* stellen.
- Man kann sich an einen Termin erinnern lassen. Einfach in die Zeile Erinnerung (wird auch manchmal nur durch ein Glöckchen dargestellt) tippen und eine Zeit, z. B. *1 Stunde vorher*, auswählen.
- Unter Umständen zeigt der Kalender auch Geburtstage, die Sie in der App *Kontakte* hinterlegt haben, an. Auch Feiertage können automatisch hinzugefügt werden.
- Je nach gewählter Ansicht können die Einträge nicht mehr mit ihrer Bezeichnung angezeigt werden. Beispielsweise werden in der Monatsansicht Termine, Geburtstage und Feiertage durch unterschiedlich farbige Striche oder Punkte dargestellt. Durch Antippen eines dieser Tage wird oft im unteren Teil des Bildschirms die Bezeichnung eingeblendet.
- Im **Google-Kalender** wird zwischen Terminen und Aufgaben unterschieden. Wenn Sie auf das Plus tippen, wählen Sie zwischen Termin oder Aufgabe aus. Beides wird mit einem Datum verbunden, der Termin bietet aber viel mehr Eingabemöglichkeiten, z. B. das Hinzufügen von Personen. Eine Aufgabe muss zu einem bestimmten Datum erledigt werden, selten zu einer genauen Uhrzeit. Aus diesem Grund ist die Aufgabe standardmäßig als „ganztägig" hinterlegt. Außerdem bleibt die Aufgabe in der Übersicht erhalten, bis Sie die Aufgabe als erledigt markieren. Zusätzlich bietet der Google-Kalender noch Hintergrundbilder und bunte Kalenderblätter, um den Kalender individuell zu gestalten.
- Im **Samsung-Kalender** wird in der Kalenderübersicht am markierten Tag ein Aufkleber in Form eines Smileys angezeigt. Durch Anklicken können Sie für den Tag ein Emoji oder einen Sticker auswählen, z. B. das Läufer-Emoji für den Tag, an dem Sie Sport machen.
- **iPhone:** In der Monatsansicht können Sie durch Antippen des Symbols links neben der Lupe verschiedene Darstellungen des Kalenders auswählen. *Kompakt*, *Gestapelt*, *Details* und *Liste*. Damit entscheiden Sie, wie viel Informationen zum gespeicherten Ereignis angezeigt werden.

NOTIZEN

Aufgabe 16

Sie müssen zum Friseur. Tragen Sie einen Termin für nächsten Dienstag um 10 Uhr ein.

Kursbuch Seite 36/37

WARUM ?

Der digitale Kalender erinnert Sie an Ihre Termine. Sich wiederholende Termine müssen Sie nur einmal eingeben.

PUNKTE

- Plus **Sticker**
- Name und Adresse eingeben
- Datum und Uhrzeit eingeben
- Wiederholung
- Ganztägige Termine
- Speichern **Sticker**
- **iPhone:** Auf Zeile *Kalender* achten. Im Menü unten Kalender antippen und den im Termin gewählten Kalender anzeigen. Plus **Sticker**, *Hinzufügen* **Sticker**

POSTER

ZIEL

Einen neuen Termin eingeben und in der Monatsansicht finden.

STICKER

Finden Sie das Plussymbol.
Finden Sie Speichern.

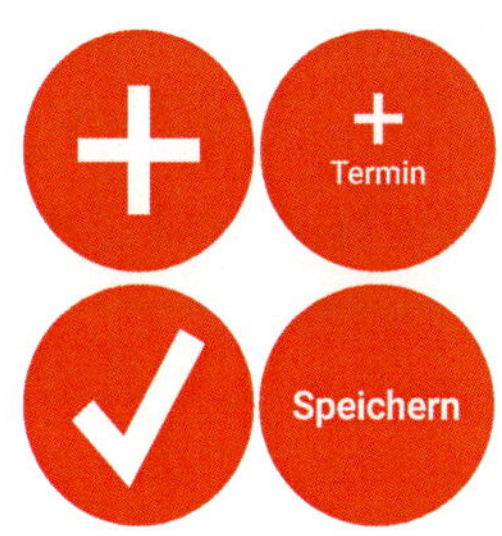

APP

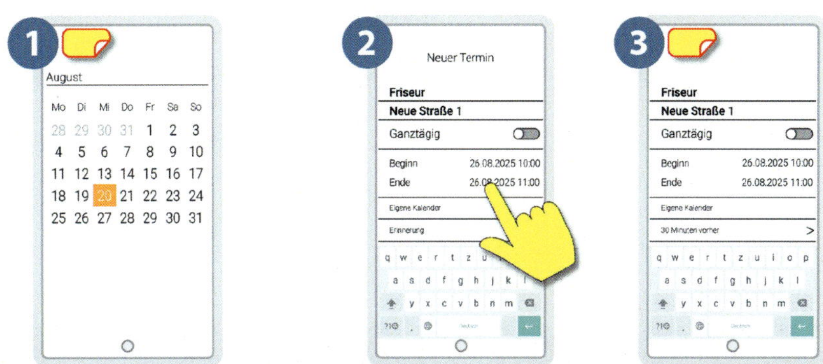

Gehe auf die Monatsübersicht. Finde das Plus und tippe darauf.

Gib für den Termin Name, Adresse, Datum und Uhrzeit ein.

Finde »Speichern«. Speichere den Termin.

Fragen und Antworten:

Wie lösche ich einen Termin aus dem Kalender?

Der Termin, den man löschen oder verändern möchte, muss erst geöffnet werden:

- Dazu muss man auf den Termin tippen. Falls eine Tagesübersicht angezeigt wird, muss man nochmals auf den entsprechenden Termin tippen, bis die Bearbeitungsansicht des Termines erscheint. In dieser Ansicht können Sie den Termin bearbeiten oder löschen.
- Zum Löschen einfach auf *Löschen* oder den Papierkorb tippen. **Sticker**
- Das Löschen muss meistens bestätigt werden. Anstelle von *Löschen* kann auch *In den Papierkorb* angezeigt werden.
- Samsung-Kalender Aufkleber entfernen: Tippen Sie auf den Aufkleber, um die Emoji-Auswahl zu öffnen. Das ausgewählte Emoji erscheint mit einem Minussymbol - auf das Minus tippen, um den Aufkleber zu entfernen.

Serientermine: Für Termine, die sich wiederholen, kann man entweder nur den nächsten Termin, alle folgenden oder alle Termine löschen.

iPhone: Öffnen Sie den Termin durch Antippen und wählen Sie dann ganz unten *Ereignis löschen* aus.

Vergangene Termine kann man einfach im Kalender stehen lassen.

NOTIZEN

Aufgabe 17

Löschen Sie den Termin wieder aus Ihrem Kalender.

Kursbuch Seite 38/39

WARUM ?

Der digitale Kalender bleibt immer übersichtlich. Auch wenn sich Termine verschieben oder nicht stattfinden, gibt es hier kein Durchstreichen oder Ausradieren.

PUNKTE

- Eventuell Wochenübersicht
- Eintrag öffnen
- Löschen **Sticker**
- Löschen bestätigen
- **iPhone:** Termin öffnen, unten *Ereignis löschen* **Sticker**

Ereignis löschen

POSTER

ZIEL

Den Termin finden, öffnen und löschen.

STICKER

Finden Sie Löschen.

Löschen

Löschen

APP

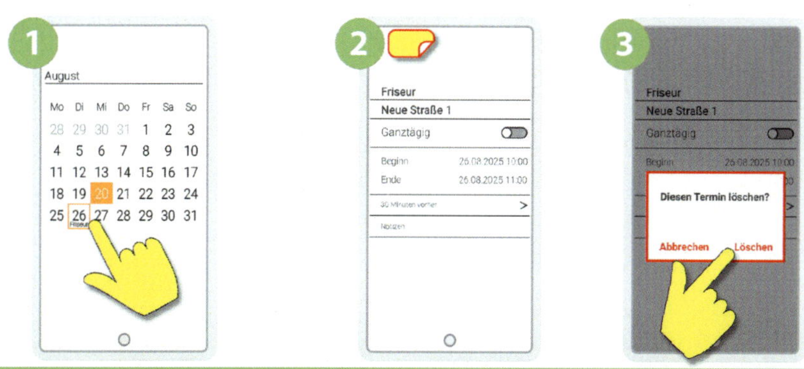

Tippe auf den Friseur-Termin, um ihn zu öffnen.

Finde »Löschen« und tippe darauf.

Bestätige, dass dieser Termin gelöscht werden soll.

Fragen und Antworten:

Was ist der Unterschied zwischen Nachricht/ Message und SMS?

Der große Unterschied ist der Sendeweg. Eine SMS wird über das Mobilfunknetz gesendet, während die Nachricht/Message durch eine Internetverbindung übertragen wird. Um eine Nachricht/Message zu senden, müssen Sie also mit dem Internet verbunden sein. Eine SMS kann 160 Zeichen enthalten, sonst wird in der Regel eine zweite SMS verschickt, in ganz seltenen Fällen eine MMS (siehe nächste Aufgabe). Für eine SMS können Kosten anfallen. Je nach Anbieter hat man meist eine gewisse Anzahl oder sogar „Flat", also eine unbegrenzte Anzahl von SMS frei. Die App, um eine SMS oder Nachricht/Message vom Smartphone zu versenden, heißt *Nachrichten* oder *Messages*. In den letzten Jahren wurde in die App ein neuer Dienst namens RCS integriert. Dieser ermöglicht es, über das Internet Nachrichten/Messages zu versenden. Der Empfänger muss dazu dasselbe System nutzen. Eine Nachricht/Message hat weder eine Zeichen- noch eine Anzahlbegrenzung. Über eine Nachricht/Message kann man Fotos und Videos oder den Standort senden. Man kann Gruppenchats führen. Ein weiterer Vorteil ist die Lesebestätigung. Die RCS-Nachricht kann in den Einstellungen der App *Messages/Nachrichten* aktiviert bzw. deaktiviert werden. Sie erkennen den gewählten Sendeweg am Sendesymbol:

SMS RCS-Nachricht via Internverb.

Was ist ein Chat oder eine Konversation?

Die Unterhaltung von zwei Personen wird als Chat oder Konversation bezeichnet. Sind es mehrere Personen, ist es ein Gruppenchat. Eine Message ist eine einzelne Nachricht, oftmals auch Chatnachricht genannt.

iPhone: Beim iPhone heißt die Nachricht iMessage und wird blau dargestellt. Die SMS wird grün dargestellt.  SMS iMessage

Die iMessage nutzt ein anderes Nachrichtensystem als Android. Aus diesem Grund können zwischen iPhone und einem Android-Gerät nur SMS ausgetauscht werden.

Was ist der Unterschied zu WhatsApp?

WhatsApp funktioniert nur über eine Verbindung zum Internet, über mobile Daten oder WLAN. Sender und Empfänger müssen WhatsApp auf ihrem Smartphone installiert haben. Das Senden kostet nur mobile oder WLAN-Daten. Die Firma WhatsApp wurde von Meta Platforms (ehemals Facebook) gekauft.

Wofür braucht man heute noch SMS?

SMS ist für alle, die kein WhatsApp haben oder wollen. Für eine SMS muss die Nummer des Empfängers nicht, wie bei WhatsApp, in den Kontakten gespeichert sein. Wenn keine Internetverbindung zur Verfügung steht, können Sie trotzdem eine SMS versenden. Außerdem erhalten Sie SMS im Zuge einer Zwei-Faktor-Authentifizierung. Die Hinweise, dass Sie gerade ein ausländisches Netz verwenden (z. B. im Urlaub), werden auch als SMS versandt.

Wie startet man eine neue SMS-Nachricht?

Die App *Nachrichten* oder *Messages* öffnen und das Symbol für *Neue Nachricht* antippen. **Sticker**

- Oben wird als erstes der Empfänger eingegeben. Dazu tippen Sie die Nummer ein oder wählen den Namen aus der Kontaktliste durch Antippen aus. Achten Sie darauf, keine Festnetznummer auszuwählen.
  Samsung bietet in der App Nachrichten unten eine Auswahl zwischen Konversationen und Kontakte. Hier kann man also vorauswählen, ob man den Empfänger schon in den Kontakten gespeichert hat.
- Unter Umständen müssen Sie jetzt noch auf *Verfassen* tippen.
- Unten wird die Nachricht eingegeben: einfach in das entsprechende Feld tippen und die Tastatur erscheint.
- Zum Absenden der SMS müssen Sie auf das Symbol Papierflieger oder *Senden* tippen.

Tipp (iPhone): Wenn man Nachrichten an ein anderes iPhone schickt, kann man diese mit einem Effekt, z. B. Geheimtinte, Ballons oder Feuerwerk, versenden. Dafür etwas länger auf den Versendepfeil tippen und dann über *Sprechblase* oder *Hintergrund* den gewünschten Effekt auswählen.

Aufgabe 18

Senden Sie eine Nachricht/SMS an eine/n Freund/in.

Kursbuch Seite 40/41

WARUM ?

In Deutschland benutzen viele nur noch WhatsApp, um Nachrichten zu versenden. Es gibt aber immer noch die gute alte SMS, für alle, die kein WhatsApp nutzen möchten. Codes zur Zwei-Faktor-Authentifizierung werden per SMS auf das Smartphone geschickt.

PUNKTE

- Neue Nachricht **Sticker**
- SMS/Nachrichten
- Unterschied zu WhatsApp
- Oben Empfänger eingeben
- Senden, ohne in Kontakte zu speichern
- Unten Nachricht eingeben
- **iPhone:** Nachrichten Farbe grün und blau
  Neue Nachricht **Sticker**

POSTER

ZIEL

Eine SMS verschicken.

STICKER

Finden Sie das Symbol Neue Nachricht.

APP

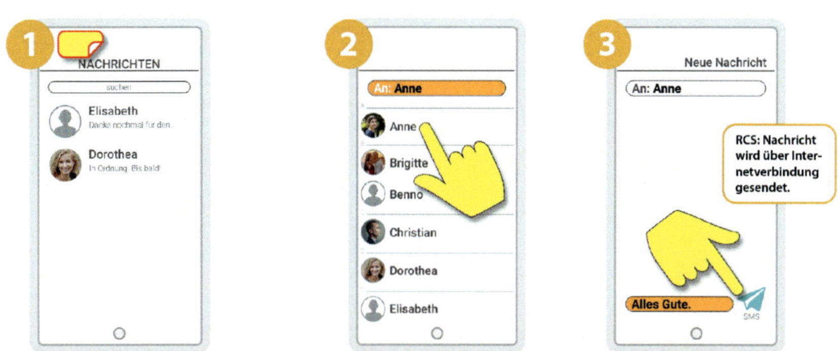

Finde das Symbol für »Neue Nachricht« oder tippe direkt auf einen Kontakt.

Wähle einen Kontakt aus oder gib oben eine Smartphone-Nummer ein.

Tippe in das Textfeld unten. Gib deine Nachricht ein und schicke sie ab.

Fragen und Antworten:

Was ist eine MMS?

Wenn man ein Bild an die SMS anhängt, ist es eine MMS. Eine MMS kostet in den meisten Netzen 39 Cent oder sogar mehr.

Tipp: Wenn die SMS zu viel Text/Zeichen hat, wird sie zur MMS. Unter Einstellungen kann man MMS abschalten oder *eingeschränkt*, also nur Versenden über WLAN, erlauben.

Wie verschickt man eine MMS?

Um ein Bild anzuhängen, müssen Sie einfach das Plus oder die Büroklammer antippen. **Sticker**

Jetzt kann man unter Galerie ein Foto auswählen. Zum Absenden der MMS tippt man auf den Papierflieger oder *Senden*.

iPhone: Tippen Sie auf das Plus. **Sticker**
Jetzt werden die verschiedenen Apps angezeigt, aus denen etwas an die Nachricht angehängt werden kann. Nicht nur Bilder, auch beispielsweise der Standort aus der App *Karte* stehen zur Verfügung, sofern man mit dem Internet verbunden ist.

NOTIZEN

Aufgabe 19

Senden Sie eine SMS mit einem Bild angehängt.
Das ist eine MMS.

Kursbuch Seite 42/43

WARUM ?

Eine SMS mit Bild ist eine MMS und kostet 39 Cent oder mehr.
Es ist günstiger, Bilder über WhatsApp zu senden.

PUNKTE

- MMS 39 Cents
- Neue SMS öffnen
- Plus oder Büroklammer **Sticker**
- Foto auswählen
- **iPhone:** Plus **Sticker**

POSTER

ZIEL

Ein Foto an eine SMS anhängen. Es muss nicht versendet werden, da sonst Kosten entstehen.

STICKER

Finden Sie das Symbol zum Anhängen eines Fotos.

APP

Öffne eine neue Nachricht und gib oben den Empfänger ein.

Finde das Plus oder die Büroklammer und tippe darauf.

Wähle ein Foto aus und schreibe eine Nachricht dazu. Drücke auf »Senden«.

Fragen und Antworten:

Wie öffnet man eine gesendete oder erhaltene Nachricht?

Wenn eine neue Nachricht in der App *Nachrichten / Messages* liegt, wird das durch eine kleine Eins am App-Symbol angezeigt. Die App sagt Ihnen: „Da ist eine Nachricht, schauen Sie mal nach." Wenn man die App *Nachrichten* öffnet, gelangt man erst in eine Übersicht, mit all den Kontakten, mit denen man schon Nachrichten ausgetauscht hat. Der Name, der zuletzt eine Nachricht geschickt hat, ist dabei in der Liste ganz oben. Durch Antippen des Namens oder der Nummer gelangt man zur eigentlichen Nachricht, wobei Nachrichten, die man gesendet hat, in einer Farbe dargestellt sind, und Nachrichten, die man erhalten hat, in einer anderen Farbe. Über den Pfeil in der linken oberen Ecke des Smartphones gelangt man immer wieder zur Übersicht zurück.

Wie löscht man eine Nachricht?

Zum Löschen einer Nachricht einfach etwas länger auf die Nachricht drücken.

Es erscheint eine Auswahl mit mehreren Befehlen. Sie müssen auf den Papierkorb oder *Löschen* tippen und das *Löschen* bestätigen. **Sticker**

iPhone: Zunächst muss man etwas länger auf die Nachricht tippen, die man löschen möchte. Dann muss man *Mehr* antippen, um den Papierkorb anzuzeigen.

Wie löscht man einen Chat?

Gehen Sie zur Chats-Übersichtsseite. Tippen Sie etwas länger auf die Zeile mit der Person/Nummer, die Sie löschen möchten. Oben erscheint das Papierkorbsymbol. Tippen Sie auf den Papierkorb und bestätigen Sie *Chat löschen*. Damit werden alle Nachrichten in diesem Chat gelöscht. Falls Sie den Kontakt mit der Telefonnummer zu diesem Chat in Ihren Kontakten gespeichert haben, können Sie jederzeit einen neuen Chat starten. Die in den Kontakten gespeicherte Telefonnummer wird dadurch nicht gelöscht.

Tipp iPhone: Wie immer kann man beim iPhone die entsprechende Zeile auch nach links ziehen und dann auf *Mehr* tippen, um *Löschen* anzuzeigen.

NOTIZEN

Aufgabe 20

Löschen Sie eine Nachricht.

Kursbuch Seite 44/45

WARUM ?

Damit das Smartphone übersichtlich bleibt, sollte man ab und zu auch wieder etwas löschen.

PUNKTE

- App-Symbol zeigt durch die Zahl in der Ecke an, wie viele neue Nachrichten es gibt.
- Zum Löschen etwas länger auf die Nachricht drücken.
- Papierkorb oder Löschen **Sticker**
- Löschen bestätigen
- **iPhone:** Umweg über Taste *Mehr,* Papierkorb **Sticker**

POSTER

ZIEL

Eine Nachricht löschen.

STICKER

Finden Sie Löschen.

APP

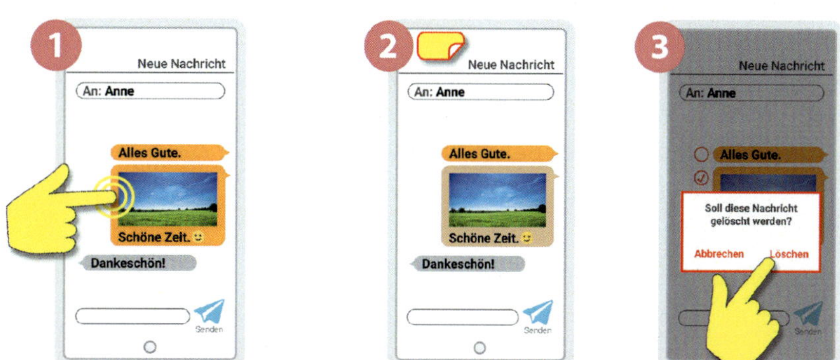

Drücke etwas länger auf die Nachricht, die du löschen möchtest.

Finde das Symbol für »Löschen«. Tippe darauf.

Bestätige, dass diese Nachricht gelöscht werden soll.

Fragen und Antworten:

Wo sind die Kameras am Smartphone?

Jedes Smartphone hat zwei Kameras, manche sogar drei. Eine oder zwei Kameras auf der Rückseite und eine auf der Vorderseite.

Was kann die Kamera?

Die Kamera-App kann nicht nur Fotos machen. Je nach Smartphone gibt es noch weitere Funktionen:

- Video
- Zeitlupen- oder Zeitraffervideo
- Pro: individuelle Einstellung von Blende, manuelles Fokussieren etc.
- HDR: Mehrere Aufnahmen mit unterschiedlichen Belichtungseinstellungen werden zu einem Bild zusammengestellt.
- Panorama
- Nachtaufnahme
- Porträt

Tipp: Am oberen Rand des Smartphones wird bei Nutzung der Kamera oder des Mikrofons ein entsprechendes Symbol eingeblendet. Es reduziert sich nach kurzer Zeit auf einen grünen Punkt. Der Hinweis dient dazu, anzuzeigen, dass die Gerätekomponente gerade verwendet wird.

Wie mache ich ein Foto?

Öffnen Sie die App *Kamera* und tippen unten auf den Auslöser - einen großen weißen Punkt. Aber Achtung! Wenn man zu lange drückt, macht man mehrere Fotos hintereinander.

Um Scharfzustellen, muss man auf dem Smartphone-Bildschirm die Stelle antippen, auf die fokussiert werden soll. Die Belichtung wird automatisch angepasst, kann aber auch über den eingeblendeten Regler nachjustiert werden.

Tipp ab iPhone 16: Kamerataste als Auslöser nutzen.

Wie schalte ich auf meinem Smartphone auf Video um?

Das ist je nach Smartphone verschieden. Oft gibt es ein Menü, also eine Auswahl mit einzelnen Einträgen, z. B. *Foto, Video, Panorama, Zeitraffer*. In diesem Fall tippen Sie zunächst auf den Eintrag *Video* und dann auf den Auslöser. Auf anderen Smartphones gibt es zwei Auslöser - einen für die Kamera und einen für Video. **Sticker**

Wie zeichne ich ein Video auf?

Um ein Video aufzuzeichnen, muss man einmal den Auslöser antippen, um die Aufzeichnung zu starten, und dann erneut antippen, um diese zu stoppen. Eine Zeitanzeige zählt die aufgezeichneten Sekunden und Minuten.

Einige Smartphones zeigen während der Aufzeichnung auch eine Pausetaste an. Das Symbol dafür sind zwei senkrechte, parallele Striche. Wenn man auf Pause tippt, wird die Aufzeichnung angehalten. Wenn man erneut auf Pause tippt, wird weiter aufgezeichnet. Wenn man die Aufnahme nicht stoppt, wird aufgezeichnet, bis Sie die App schließen.

Ein Video erkennen Sie in der App Galerie/Fotos an der dreieckigen Abspieltaste in der Mitte des Bildes.

Die Symbole, um ein Video abzuspielen, zu pausieren und zu stoppen, sind:

- Abspielen = Dreieck,
- Pause = 2 vertikale Striche und
- Stop = Quadrat.

Aufgabe 21

a) Machen Sie ein Foto.

b) Drehen Sie ein Video.

Kursbuch Seite 46/47

WARUM ?

Die Kamera ist wohl die beliebteste Zusatzfunktion des Smartphones. Ein Fotoapparat, den Sie immer dabei haben. Außerdem können Sie die Bilder sofort betrachten und mit Familie oder Freunden teilen.

PUNKTE

- 2 - 3 Kameras
- Verschiedene Funktionen: Foto, Film, Panorama usw.
- Kamera-Auslöser
- Ein Foto machen
- Umschalten auf Video **Sticker**
- Video-Auslöser
- Ein Video aufzeichnen
- Videosymbole: Start, Stop, Pause
- **iPhone:** Schiebemenü über der Taste Auslöser, *VIDEO* **Sticker**

POSTER

ZIEL

Ein Foto machen und ein kurzes Video aufzeichnen.

STICKER

Finden Sie das Videosymbol.

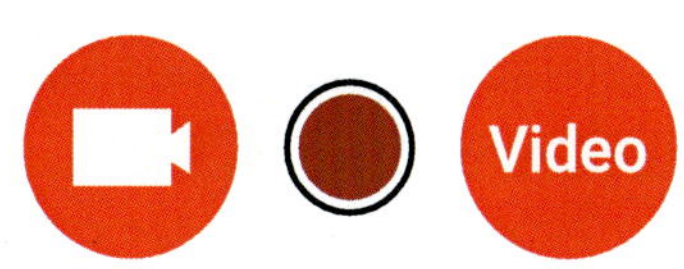

APP

Stelle die Kamera auf FOTO und drücke auf den Auslöser.

Stelle die Kamera auf VIDEO. Tippe auf den Auslöser, um die Aufnahme zu starten.

Tippe erneut auf den Auslöser, um die Aufnahme zu stoppen.

Fragen und Antworten:

Wo ist die Vorschau meines Fotos?

Jedes Smartphone zeigt auf der Oberfläche der App Kamera eine Miniversion des letzten oder soeben geknipsten Fotos an. Tippt man auf diese Bildvorschau, wird das Foto in der Einzelbildansicht groß angezeigt. **Sticker**

Wie lösche ich ein Bild?

Wenn das Bild in der Einzelbildansicht geöffnet ist, kann es sofort gelöscht werden. Dazu muss der Papierkorb angetippt werden. Ist der Papierkorb nicht sichtbar, tippen Sie einmal kurz auf den Smartphone-Bildschirm, um die Bearbeitungsoptionen einzublenden. **Sticker**

Auch das Löschen von Bildern muss erneut bestätigt werden, um sie vor einem versehentlichen Entfernen zu schützen.

Bei vielen Smartphones werden gelöschte Bilder erst in den Papierkorbordner verschoben. Hier bleiben die Bilder noch bis zu 30 Tage und werden danach erst endgültig gelöscht. Dieser Ordner findet sich oft im Bereich *Alben* oder bei Samsung-Geräten in einem Menü mit Burger-Icon (drei waagrechte Striche). Den Papierkorb kann man sofort leeren und damit die Bilder endgültig löschen. Oder Sie belassen die Bilder zunächst im Papierkorb und können Sie dann gegebenenfalls auch wiederherstellen.

Zur Anzeige aller Bilder stehen die Apps Galerie (beispielsweise bei Smartphones von Samsung, Xiaomi oder Huawei) oder Fotos (Standard-App von Google) zur Verfügung. In Aufgabe 24 wird darauf näher eingegangen.

iPhone: Hier heißt die App ebenfalls Fotos.

Verzichten Sie im Kurs auf das Löschen von Fotos direkt aus der App Galerie/Fotos. Auch hier besteht die Gefahr, dass man Fotos oder ein ganzes Album versehentlich löscht.

NOTIZEN

Aufgabe 22

Sie wollen das Foto/Video wieder löschen.
Öffnen und löschen Sie es.

Kursbuch Seite 48/49

WARUM ?

Bilder, die man gerade geschossen hat, kann man sofort ansehen und bei Bedarf auch gleich wieder löschen. So belegt man nicht unnötig Speicherplatz mit misslungenen Fotos.

PUNKTE

- Vorschau-Taste **Sticker**
- Geöffnetes Bild
- Papierkorb **Sticker**
- Auf Bildmitte tippen, um Papierkorb erneut einzublenden
- Löschen bestätigen
- **iPhone:** Papierkorb **Sticker**

POSTER

ZIEL

Ein Foto löschen.

STICKER

Finden Sie den Vorschau-Knopf?
Finden Sie den Papierkorb?

APP

1. Finde die Vorschau – eine Miniversion deines Bildes/Videos – und tippe darauf.
2. Finde den »Papierkorb« und tippe darauf.
3. Bestätige »Löschen« / »In Papierkorb verschieben«.

Fragen und Antworten:

Was ist ein Selfie?

Ein Foto, das man mit der vorderen Kamera von sich selbst macht, nennt man Selfie.

Wie schalte ich auf die vordere Kamera um?

Jedes Smartphone hat mindestens zwei Kameras. Es gibt einen Schalter, der zwischen der vorderen und rückwärtigen Kamera hin und her schaltet. **Sticker**

Wie mache ich ein Selfie?

Mit der vorderen Kamera und einem langen Arm kann man sich selber fotografieren - auch beim Selfie tippt man einfach unten auf den Auslöser.

Tipp: Bei Selfies nie nach unten in die Kamera schauen - lieber zur Kamera hoch schauen. Manche Kameras haben lustige Selfie-Filter.

Tipp: In den Kamera-Einstellungen kann man unter *Auslöser* verschiedene Auslöser wählen. Bei einigen Smartphones kann man z. B. laut „smile" oder „klick" rufen und so ein Foto via Sprachbefehl knipsen. Manche Smartphones besitzen auch die Funktion „Zeigen der Handfläche", um auszulösen. Bei den meisten Smartphones funktioniert auch die Leise-Taste als Auslöser.

Um die Kamera-Einstellungen auswählen zu können, müssen Sie bei aktuellen Samsung-Geräten zuerst die *Schnellsteuerung* antippen.

Tipp iPhone: Beim iPhone kann man einen Selbstauslöser einstellen. Der Selbstauslöser befindet sich im Kameramenü oben und das Symbol dafür sieht aus wie der Timer. Stellen Sie den Selbstauslöser auf 3 Sekunden und tippen dann wie gewohnt den Auslöser an. Jetzt zählt das iPhone 3, 2, 1 und löst dann erst aus.

Ab iPhone 16 kann auch die Kamerataste zum Auslösen verwendet werden.

NOTIZEN

Aufgabe 23

Machen Sie ein Selfie.

Kursbuch Seite 50/51

WARUM ?

Selfies sind vor allem bei jungen Menschen sehr beliebt, um zu zeigen, was sie machen, wo sie gerade sind, wie sie aussehen. Selfies werden auf Plattformen wie Instagram oder Facebook entweder nur mit Freunden oder auch mit der Öffentlichkeit geteilt.

PUNKTE

- Auf vordere Kamera umschalten **Sticker**
- Für ein Selfie nie nach unten schauen
- Verschiedene Auslöser ausprobieren
- **iPhone:** Auf vordere Kamera umschalten **Sticker**

Laut-/Leise-Tasten und Kamerataste sind Auslöser

POSTER

ZIEL

Ein Selfie machen.

STICKER

Finden Sie das Symbol zum Wechseln der Kamera.

APP

Aktiviere die vordere Kamera, indem du auf den Schalter zum Wechseln der Kamera tippst.

Schaue unter Kamera-Einstellungen, ob es alternative Auslöser gibt.

Tippe auf den Auslöser, um ein Foto von dir zu machen.

Fragen und Antworten:

Wo finde ich meine Fotos auf dem Smartphone?

Jedes Smartphone hat eine Fotogalerie zur Anzeige der geknipsten Bilder. Auf vielen Smartphones (z. B. Samsung, Huawei) steht hierfür die App *Galerie* zur Verfügung. Zusätzlich gibt es immer die App *Fotos* von Google. Neben dem Betrachten von Fotos bieten die Apps *Galerie/Fotos* noch weitere Funktionen. Mit der App *Fotos* können Sie beispielsweise Ihre Bilder in der Google-Cloud sichern.

iPhone: Zum Betrachten von Bildern steht die App Fotos zur Verfügung. Unterhalb der Fotogalerie finden Sie den Punkt *Anpassen & Neuordnen*. Hier können Sie die Ansicht der Fotos neu anordnen und für sich übersichtlicher gestalten. Ihre Fotos können Sie, falls gewünscht, in die iCloud sichern.

Wie kann ich ein Foto verschönern?

Eine weitere nützliche Funktion ist die Möglichkeit zur Bearbeitung von Bildern. Dazu tippen Sie das Bild in der App *Galerie/Fotos* an und wählen dann *Bearbeiten* aus. **Sticker**

Welche Bildbearbeitungswerkzeuge gibt es auf Ihrem Smartphone?

- Zuschneiden: Entfernen von Bildrändern, Auswahl eines neuen Ausschnitts und Drehen
- Filter: vorprogrammierte Farbeinstellungen übernehmen
- Farbe: Einstellungen für Helligkeit, Kontrast, Sättigung etc.
- Sticker: gezeichnete Blumen, Herzen usw.
- Text hinzufügen
- KI-Tools: Generative Bearbeitung, Bildelemente entfernen und mittels KI ersetzen lassen.

Wie schneide ich die Ränder meines Bildes ab?

Wählen Sie *Bearbeiten* aus und tippen Sie dann auf *Zuschneiden*.

Unter Umständen ist nach Auswahl von *Bearbeiten* bereits der Zuschneidemodus aktiv. Er muss nicht gesondert ausgewählt werden. Die Begrenzungslinien werden bereits angezeigt und können verschoben werden.

Im Zuschneidemodus ziehen Sie mit dem Finger an den eingeblendeten Begrenzungslinien bzw. Punkten und schieben sie so nach innen.

Wenn Sie mit dem Ergebnis zufrieden sind, tippen Sie auf *Speichern*. **Sticker**

Wie gespeichert wird, ist von Smartphone zu Smartphone verschieden. Beim iPhone und Samsung-Geräten werden alle Änderungen im Originalbild gespeichert. Möchte man eine Kopie speichern, muss dies über das Menü ausgewählt werden. Es besteht aber die Möglichkeit, die Änderungen in der Originaldatei jederzeit zurückzunehmen. Wird ein bearbeitetes Foto versendet, erhält der Empfänger das Bild mit allen Änderungen. Er kann diese selbstverständlich nicht zurücknehmen.

Andere Hersteller speichern Änderungen immer in einer Kopie ab.

NOTIZEN

Aufgabe 24

Ihnen gefällt das Foto noch nicht.

Verändern Sie den Ausschnitt Ihres Bildes.

Kursbuch Seite 52/53

WARUM ?

Manchmal ist noch etwas am Bildrand, was stört. Das kann man sehr einfach mit dem Bearbeitungswerkzeug wegschneiden.

PUNKTE

- Bild öffnen
- Bild bearbeiten **Sticker**

Bildbearbeitungswerkzeuge:

- Filter: Vorprogrammierte Farbeinstellungen
- Zuschneiden der Bildränder
- Einstell. für Helligkeit/Farbe
- Sticker: Herzen, Blumen usw.
- Text hinzufügen
- KI-Tools
- Bearbeitetes Bild speichern **Sticker**
- **iPhone:** Bearbeiten **Sticker**

POSTER

ZIEL

Verschiedene Werkzeuge erkennen. Den Ausschnitt eines Fotos verändern und speichern.

STICKER

Finden Sie Bearbeiten und Zuschneiden.
Finden Sie Speichern.

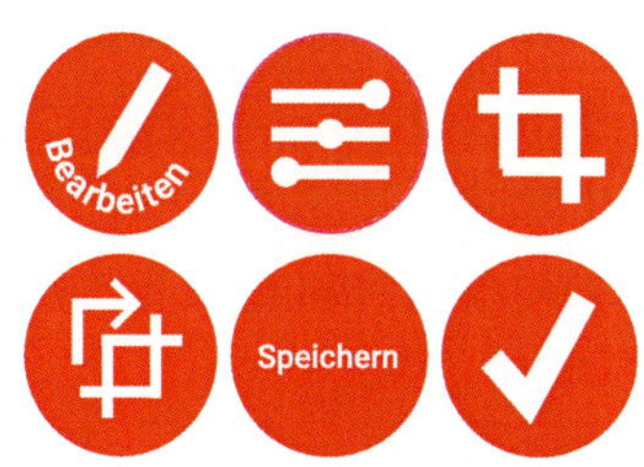

APP

Finde das Werkzeug »Zuschneiden« und tippe darauf.

Schiebe die Seitenkanten nach innen und bestätige, wenn du fertig bist.

Speichere das verkleinerte Bild neu ab.

Fragen und Antworten:

Wie kann ich die Farbe und Belichtung eines Fotos verändern?

Tippen Sie in *Galerie/Fotos* auf ein Bild, das Sie verändern möchten, und wählen Sie *Bearbeiten* aus.

Tippen Sie auf das Symbol für Filter. **Sticker**

Dadurch erscheinen unter dem Bild eine Reihe von Farbfiltern. Tippen Sie einfach mal verschiedene an und probieren aus, was gut aussieht. Je nach Smartphone gibt es viele verschiedene Auswahlmöglichkeiten: Manche bieten auch Filter, um Konturen weicher oder Teile des Bildes unkenntlich zu machen.

Am Schluss muss wie immer gespeichert werden. **Sticker**

Welche anderen Apps zum Bearbeiten von Fotos gibt es?

Es gibt unendlich viele Apps, um Fotos zu bearbeiten. Hier sind nur einige Beispiele:

- Enlight
- Snapseed von Google
- Photoshop Express
- KiraKira für Kitschfilter
- Afterlight (kostet zwar Geld, hat aber schöne Effekte)
- DeepArtEffekts (hat Werbung in der Gratisversion)
- Hipstamatic (wer Retro mag)

NOTIZEN

Aufgabe 25

Bearbeiten Sie Ihr Bild mit einem Fotofilter.

Kursbuch Seite 54/55

WARUM ?

Die meisten Bilder, die man heute auf den sozialen Medien, wie z. B. Instagram, Facebook oder Pinterest findet, wurden mit Fotofiltern bearbeitet. Die Fotos sollen möglichst wie vom Profi fotografiert aussehen. Vorprogrammierte Filter helfen dabei.

PUNKTE

- Bild öffnen
- Fotofilter öffnen **Sticker**
- Andere Bearbeitungswerkzeuge ausprobieren
- Bearbeitetes Foto speichern **Sticker**
- **iPhone:** Fotofilter öffnen **Sticker**

POSTER

ZIEL

Ein Foto mit einem Filter zu bearbeiten und neu abzuspeichern.

STICKER

Finden Sie das Symbol für Fotofilter. Bestätigen Sie mit Speichern.

APP

Finde das Werkzeug »Fotofilter« und tippe darauf.

Probiere die verschiedenen Filter deines Smartphones aus.

Speichere das bearbeitete Bild neu ab.

Fragen und Antworten:

Wie kann ich ein Foto mit einem Freund teilen?

Das Symbol für *Teilen* < sieht bei fast allen Android-Smartphones gleich aus, auch wenn oft ein anderer Name darunter steht, z. B. *Freigabe* oder *Senden*. Manche nutzen das typische iPhone-Symbol für die Teilenfunktion mittlerweile auch: ein offenes Quadrat mit Pfeil nach oben. **Sticker**

iPhone: Apple zeigt für die Funktion *Teilen* in hauseigenen Apps ein eigenes Symbol an, wobei in anderen Apps das Android-Symbol verwendet wird.

Folgende Schritte sind erforderlich, um ein Foto mit jemandem zu teilen oder zu verschicken:

- ein Foto auswählen und öffnen,
- auf *Teilen* tippen,
- die App auswählen, über die das Bild geteilt werden soll, z. B. WhatsApp, Nachrichten oder E-Mail,
- den Adressaten auswählen, an den das Foto gesendet werden soll,
- eventuell noch eine Nachricht hinzufügen und
- absenden.

Verwenden Sie, wenn möglich, RCS, iMessage oder WhatsApp, um ein Foto zu teilen. Das ist einfach und verursacht keine zusätzlichen Kosten (zumindest im WLAN).

Wichtig! Weisen Sie die Teilnehmer darauf hin, dass die Verwendung der App Nachrichten bzw. Messages bei Versendung eines Fotos als MMS zusätzliche Kosten verursachen kann.

Was kann man sonst noch teilen?

Das Zeichen für *Teilen* findet sich auch in anderen Apps - man kann Webseiten, Zeitungsartikel, Restaurants usw. teilen.

Der Empfänger bekommt dann einen Link zum Artikel oder die Koordinaten aus der App *Karten* zugeschickt.

NOTIZEN

Aufgabe 26

Senden Sie Ihr Bild an eine/n Freund/in.

Kursbuch Seite 56/57

WARUM ?

Die neue Technik erlaubt es, sofort Fotos mit Freunden teilen zu können. Sie können einer Person ein Foto schicken über die App Nachrichten als MMS, als Anhang zu einer E-Mail oder Sie teilen das Bild mittels WhatsApp. Darüber hinaus können Sie auch Bilder über soziale Netzwerke, wie Twitter, Instagram oder Facebook teilen und diese damit einem größeren Kreis von Personen zeigen.

PUNKTE

- Symbol für Teilen **Sticker**
- Eine App aussuchen
- Den Adressaten eingeben
- Eventuell noch eine Nachricht hinzufügen
- Absenden
- Man kann auch Zeitungsartikel, Produkte auf Webseiten, Orte aus Maps usw. teilen
- **iPhone:** Eigenes Symbol **Sticker**

POSTER

ZIEL

Ein Foto über WhatsApp teilen.

STICKER

Finden Sie das Symbol für Teilen/Freigeben.

APP

Fragen und Antworten:

Wo versteckt sich das Album Favoriten?

Die Apps *Galerie/Fotos* sind in verschiedene Bereiche aufgeteilt, u. a. Fotos oder Bilder und Sammlungen oder Alben.

- Im Bereich *Fotos/Bilder* werden alle Fotos nach Datum sortiert angezeigt. Unter Umständen ist auch eine Sortierung nach Ort möglich, dazu muss allerdings die Standortfreigabe für die Kamera eingeschaltet sein.
- Im Bereich Sammlungen/*Alben* werden die Fotos in Alben, z. B. *Kamera*, *Video*, *Screenshots*, *Downloads* oder *WhatsApp Images* vorsortiert. Welche Alben hier zur Verfügung stehen, hängt auch davon ab, wie Sie das Smartphone nutzen. Beispielsweise wird das Album *Screenshots* erst hinzugefügt, wenn Sie einen *Screenshot* erstellt haben.
- Samsung zeigt im Bereich *Alben* nur eine Auswahl der vorhandenen Alben an; tippen Sie auf *Alle anzeigen*, falls Sie ein Album vermissen.
- Das Album *Favoriten* erscheint erst, wenn Sie das erste Foto mit einem Herz/Stern versehen haben. **Sticker**
  Tipp: Bei Samsung können Sie auch unten rechts auf das Menüsymbol ≡ und dann auf *Favoriten* tippen, um den Inhalt des Albums anzuzeigen.
- **Tipp iPhone:** In der App *Fotos* muss man weiter nach unten scrollen, um die verschiedenen Ordner, z. B. *Favoriten*, zu finden.
  Ganz unten in der Fotogalerie gibt es den Punkt *Anpassen & Neuordnen*. Darüber kann man die Darstellung anpassen und Ordner ein- oder ausblenden. So kann man wichtige Ordner nach oben verschieben und unwichtige ausblenden.

Tipp: Das Smartphone sollte nicht als Fotospeicher genutzt werden. Wenn das Handy verloren geht, sind meistens auch die Fotos weg. Besser ist es, die Fotos auf einen Computer zu kopieren.

NOTIZEN

Aufgabe 27

Füllen Sie das Album Favoriten mit Ihren Lieblingsbildern.

Kursbuch Seite 58/59

WARUM ?

In der App Galerie/Fotos werden die Bilder in der Regel gemäß ihrem Aufnahmedatum der Reihe nach aufgeführt. Manche Fotos sind besonders und sollen schnell wiedergefunden werden. Dabei hilft das Album Favoriten.

PUNKTE

- Bild in App Galerie/Fotos öffnen
- Bild als Favorit markieren **Sticker**
- Bereich Alben anzeigen und das Album Favoriten finden
- **iPhone:** Herz **Sticker**

POSTER

ZIEL

Ein Bild favorisieren und im Album Favoriten betrachten.

STICKER

Finden Sie das Symbol für Favoriten.

APP

Öffne ein Bild in der Galerie. Finde und tippe auf »Herz«/»Stern«. Überprüfe im Bereich »Alben« die »Favoriten«.

Fragen und Antworten:

Was ist ein Screenshot?

Man kann den Bildschirm, so wie er gerade aussieht, abfotografieren. Diese Aufnahme vom gesamten Bildschirm nennt man einen Screenshot.

Wie macht man einen Screenshot?

Dafür muss man zwei Tasten am Smartphone gleichzeitig drücken. Das muss man etwas üben, aber jedes Smartphone hat diese Funktion, hier einige mögliche Kombinationen:

- Ein-/Aus-Taste + Leise-Taste
- Ein-/Aus-Taste + Laut-Taste
- Ein-/Aus-Taste + Home-Button
- Auslösen über die Schnellzugriffleiste

2 STICKER

Weitere Möglichkeiten: Bei Xiaomi/Redmi/Poco/OnePlus wischen Sie mit *3 Fingern* nach unten über das Display. Bei Motorola legen Sie gleichzeitig *3 Finger* auf das Display.

Tipp Verwendung Sprachsteuerung: Auch die Sprachassistenten können Screenshots erstellen:

- für Android: Hey Google mach einen Screenshot.
- für iOS: Siri mach einen Screenshot.

Die Teilnehmer markieren mit den Stickern die Position der Tasten am Smartphone, die für einen Screenshot benötigt werden.

Wo ist der Screenshot gespeichert

Sobald Sie Ihren ersten Screenshot erstellt haben, wird in der App *Galerie* das Album *Screenshots* angezeigt.
Samsung Smartphones: In der App *Galerie* im Bereich *Alben* wird nur eine Auswahl der vorhandenen Alben angezeigt; tippen Sie auf *Alle anzeigen*, falls Sie ein Album vermissen.

Die App *Fotos* von Google zeigt in den *Sammlungen* ganz unten ebenfalls *Screenshots* an.

iPhone: Nach Aufnahme des ersten Screenshots wird in der App *Fotos* im Bereich *Sonstiges* ein neues Album mit dem Namen *Bildschirmfotos* erstellt.

NOTIZEN

Aufgabe 28

Machen Sie ein Foto von Ihrem Bildschirm.
Das ist ein Screenshot.

Kursbuch Seite 60/61

WARUM ?

Wenn man sich eine Bahnverbindung, ein Rezept oder eine andere Information im Internet rausgesucht hat und diese schnell abspeichern will, ist der Screenshot extrem hilfreich. Einfach den Bildschirm abfotografieren. Dann hat man die Information als Foto und kann sie immer wieder aufrufen.

PUNKTE

- Irgendeine App öffnen
- Die zwei Knöpfe finden, die man gleichzeitig drücken muss
- Sprachsteuerung verwenden
- **2 Sticker**
- Screenshot in Galerie/Fotos finden
- **iPhone:** Einschalter und Home-Button **Sticker**
- **Ab iPhone X:** Einschalter und Lauter-Taste **Sticker**

Screenshot 1 | Screenshot 2 | Screen-shot 2

POSTER

ZIEL

Einen Screenshot machen und in der Galerie finden.

STICKER

Finden Sie die Tasten zum Auslösen des Screenshots

Screenshot 1 | Screenshot 2

APP

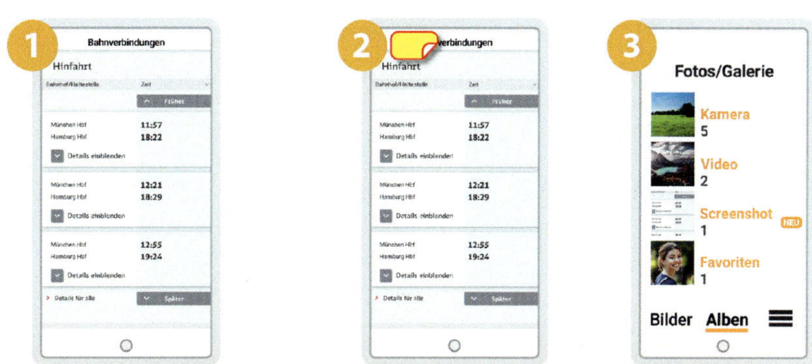

1: Öffne die App, die du abfotografieren willst.

2: Finde die zwei Schalter, die du gleichzeitig drücken musst.

3: Öffne die App »Fotos/Galerie«. Dort findest du den Screenshot.

Fragen und Antworten:

Wo ist die App Notizen/Memo auf meinem Smartphone?

Nicht alle Smartphones haben eine App für Notizen vorinstalliert. Es gibt einige Apps, die man herunterladen kann. Von Google gibt es beispielsweise die App „Notizen", Samsung verwendet „Samsung Notes".

Wie schreibe ich eine Einkaufsliste?

Um eine neue Notiz zu schreiben, sucht man das Plus oder *Neue Notiz/Memo*. **Sticker**

Bei einigen Memo-Apps kann man der Notiz oder Liste einen Titel/eine Überschrift geben. So kann man sie später leichter finden. Man kann einer Notiz auch ein Foto beifügen oder darauf malen. Im Buch sind die verschiedenen Symbole dafür dargestellt.

Je nachdem, welche App verwendet wird, muss die Notiz noch gespeichert werden. **Sticker**

Viele der Notizen-/Memo-Apps speichern mittlerweile automatisch. Man muss also nicht mehr zusätzlich auf „Speichern" tippen. Es reicht, auf den Pfeil links oben zu tippen, um zurück zur Übersichtsseite zu gelangen.

Zum erneuten Anzeigen einer bereits geschriebenen Notiz tippen Sie auf der Übersichtsseite die entsprechende Notiz an. Diese wird geöffnet und kann gelesen und weiter bearbeitet werden.

Tipp: Diese App eignet sich hervorragend, um mit den Teilnehmern das Diktieren von Texten zu testen. Die Spracheingabe wird in der digitalen Welt immer wichtiger und hier kann man sie sehr einfach üben. Auch Satzzeichen und Zeilenumbrüche kann man diktieren.

Wichtig ist dabei der Hinweis auf das Mikrofon-Symbol auf der Tastatur: Dieses Mikrofon ist zum Diktieren von Text gedacht und nicht zum Aufnehmen einer Audio-Nachricht.

NOTIZEN

Aufgabe 29

Erstellen Sie eine neue Notiz mit einer Einkaufsliste.
Sie benötigen Butter, Marmelade und Kaffee.

Kursbuch Seite 62/63

WARUM ?

Eine andere Möglichkeit, sich etwas auf dem Handy schnell zu notieren, ist die App Notizen oder Memo oder S-Memo. Hier kann man sich eine Liste schreiben oder Infos notieren.

PUNKTE

- App Notizen finden
- Neue Notiz öffnen **Sticker**
- Text eingeben
- Speichern **Sticker**
- Foto oder Zeichnen ausprobieren
- Spracheingabe testen
- **iPhone:** App Notizen, Neue Notiz **Sticker**, *Fertig* **Sticker**

POSTER

ZIEL

Eine Einkaufsliste schreiben.

STICKER

Finden Sie Neue Notiz und Speichern.

APP

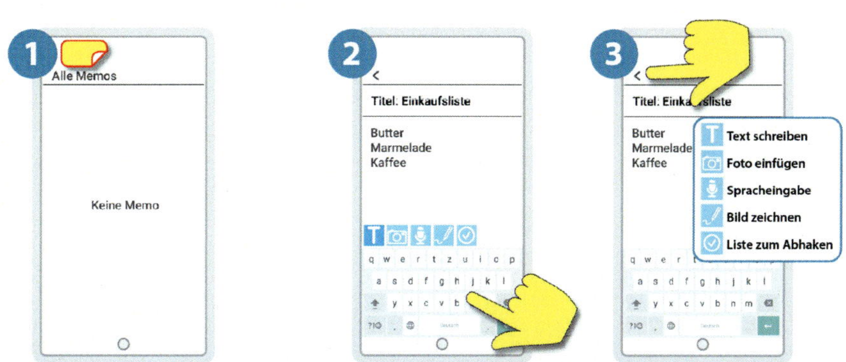

Finde das Plus oder »Neue Notiz« und tippe darauf.

Benutze die Tastatur, um deine Einkaufsliste zu schreiben.

Über die Pfeiltaste links zurück zur Übersicht.

Fragen und Antworten:

Wie lösche ich eine Notiz/Memo?

Wie immer ist das Löschen entweder im Menü versteckt, oder irgendwo ist ein Papierkorb.

Zum Löschen einer Notiz öffnet man diese, z. B. die Einkaufsliste, und tippt auf den Papierkorb.

Alternativ ist *Löschen* im Menü zu finden. **Sticker**

iPhone: Man muss die Notiz öffnen und oben rechts auf das Symbol mit den waagrechten drei Punkten tippen; hier kann *Löschen* ausgewählt werden.

Alternativ kann in der Übersicht aller Notizen die zu löschende Notiz nach links gezogen werden.

Ordner / Label

In einigen Notizen-Apps können die Notizen in Ordnern oder unter verschiedenen Labels organisiert werden. Sie finden die Option zum Anlegen einzelner Ordner/Labels auf der Übersichtsseite im Menü. Die Anzeige der Ordner/Labels muss dann ebenfalls über das Menü ausgewählt werden.

NOTIZEN

Aufgabe 30

Löschen Sie die Notiz mit Ihrer Einkaufsliste.

Kursbuch Seite 64/65

WARUM ?

Nach dem Einkaufen benötigen Sie die Liste nicht mehr. Es ist sinnvoll, die Einkaufsliste dann wieder zu löschen. So bleibt die App Notiz/Memo immer aufgeräumt und übersichtlich.

PUNKTE

- Memo öffnen
- Löschen **Sticker**
- **iPhone:** 3 waagrechte Punkte und *Löschen* oder die Zeile nach links ziehen
  Sticker

POSTER

ZIEL

Die Einkaufsliste löschen.

STICKER

Finden Sie den Befehl Löschen.

APP

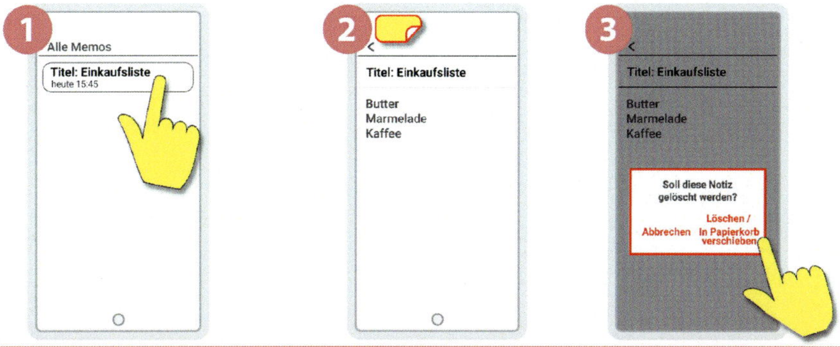

Tippe auf deine Einkaufsliste, um sie zu öffnen.

Finde »Löschen« oder den Papierkorb und tippe darauf.

Bestätige »Löschen« / »In Papierkorb verschieben«.

Fragen und Antworten:

Was ist der Unterschied zwischen privatem und öffentlich zugänglichem WLAN?

Das WLAN zu Hause ist privat und durch ein Passwort gesichert. Der Name und das Passwort für das jeweilige WLAN stehen hinten auf dem Router. Beides kann personalisiert werden. Deshalb sieht man manchmal lustige WLAN-Namen, z. B. *In einem LAN vor unserer Zeit, Mama klicke hier für Internet* oder *Martin 52 Jahre Single*. Das Passwort ist eine 20-stellige Zahl, aber auch die kann angepasst werden.

Auch in Cafés wird oft kostenloses WLAN angeboten. Das sind meistens private Netze und man muss Name und Passwort wissen, um sich einzuwählen. Die gibt es am Tresen auf Nachfrage.

In öffentlichen Gebäuden, in der Bahn oder am Flughafen gibt es auch kostenloses WLAN. Diese Netze sind öffentlich und nicht durch ein Passwort gesichert. Die Anbieter wollen sich aber rechtlich absichern und deshalb muss man hier die Nutzungsbedingungen akzeptieren. Dafür öffnet sich, nachdem man sich mit dem jeweiligen WLAN verbunden hat, eine Webseite. Auf dieser Webseite muss man die Nutzungsbedingungen akzeptieren, und erst danach ist man mit dem WLAN verbunden.

Wie verbinde ich mich mit dem WLAN?

- Öffnen Sie die App *Einstellungen* und wählen Sie *Verbindungen* aus.

Verbindungen wird in der Aufgabe nicht explizit genannt. Weisen Sie die Teilnehmer darauf hin, dass sie den Bereich *Verbindungen* auswählen müssen.

- WLAN finden: WLAN muss angeschaltet sein, also der entsprechende Schalter darf nicht grau sein. Die WLAN-Zeile antippen. Jetzt zeigt das Smartphone alle in diesem Bereich verfügbaren WLAN-Netze. Bei mir zu Hause sehe ich dann unter Umständen die Netze der Nachbarn.
- Privates WLAN: Jedes Netz, das ein Schlosssymbol hat, ist durch ein Passwort gesichert. Jetzt einfach das gewünschte Netz auswählen, Passwort eingeben und das Smartphone verbindet sich.
- Heute findet man auch oft einen WLAN-QR-Code. Diesen QR-Code kann man mit dem Smartphone einscannen und spart sich so die manuelle Eingabe. Eine WLAN-QR-Code findet man auf der Rückseite des Routers (funktioniert nur, wenn Name und Passwort des Routers nicht verändert wurden).
- Öffentliches WLAN: Sobald Sie das Smartphone verbunden haben, öffnet sich automatisch eine Webseite. Diese zeigt die Nutzungsbedingungen an, die Sie akzeptieren müssen, bevor Sie das öffentliche WLAN nutzen können. Danach können Sie sich kostenlos verbinden. In öffentlichen Netzwerken sollten Sie keine personenbezogenen Daten oder Passwörter eingeben, beispielsweise Onlinebanking.
- Überprüfen Sie das WLAN-Symbol in der Statusleiste. Neben dem Symbol darf kein Frage- oder Ausrufezeichen stehen.
- Das Smartphone erkennt WLAN-Netze wieder und kann sich automatisch einwählen.

NOTIZEN

Aufgabe 31

Um mobile Daten zu sparen, stellen Sie eine Verbindung zum WLAN her.

Kursbuch Seite 66/67

WARUM ?

Das mobile Datenvolumen ist i. d. R begrenzt. Deshalb sollten Sie, wann immer möglich, Ihr Smartphone mit einem WLAN verbinden. Das gilt insbesondere, wenn Sie datenintensive Aktionen am Smartphone ausführen, z. B. Filme im Internet betrachten, Updates oder Videotelefonate durchführen. Wenn Sie zu Hause ein WLAN eingerichtet haben, sollten Sie es nutzen. Aber auch in Hotels, der Bahn, Cafés oder öffentlichen Gebäuden steht oft WLAN zur Verfügung.

PUNKTE

- WLAN einschalten
- WLAN-Liste durchsehen
- Private und öffentliche Netze, Symbol Schloss
- Nutzungsbedingungen
- Einwählen
- In Statusleiste WLAN prüfen

POSTER

ZIEL

Mit dem WLAN verbinden.

STICKER

APP

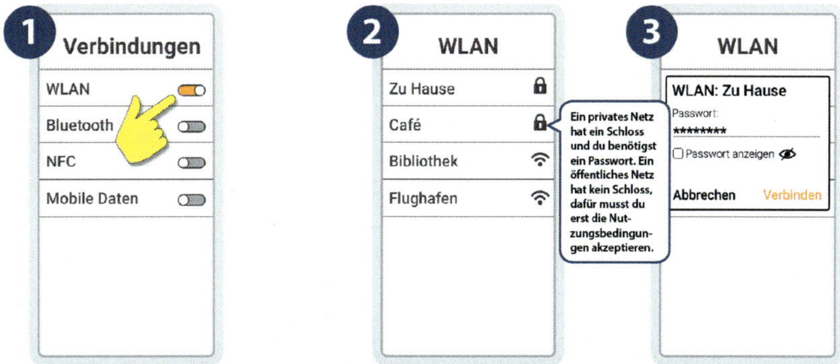

Tippe auf die Zeile »WLAN«. Das WLAN muss angeschaltet sein.

Tippe in der Liste auf das gewünschte WLAN-Netz.

Gib das Passwort ein und tippe auf »Verbinden«.

Fragen und Antworten:

Welche Landkarten-Apps gibt es?

Google Maps ist ein Kartendienst der Firma Google und auf den meisten Android-Smartphones bereits installiert.

iPhone: Sie verfügen über eine eigene Karten-App namens Karten. Aber auch auf diesen Geräten kann Google Maps verwendet werden. Darüber hinaus gibt es auch noch viele andere Anbieter.

Wie finde ich meinen eigenen Standort?

Damit auf der Karte Ihr Standort angezeigt werden kann, müssen zwei Voraussetzungen erfüllt sein:

- Die App Maps braucht die Berechtigung, den Standort zu verwenden. Bei erstmaliger Nutzung der App wird der Nutzer aufgefordert, das Abrufen des Gerätestandortes zu erlauben. Hier kann man zwischen: *Bei Nutzung der App*, *einmalig* oder *nicht zulassen* wählen. In Aufgabe 42 werden Berechtigungen/Zugriffsrechte noch genauer erklärt.
- Die Standortermittlung ist eingeschaltet.

Standortermittlung einschalten: Das Symbol für die Standortermittlung finden Sie in der Schnellzugriffleiste und schalten es dort ein. In der Statusleiste können Sie auch überprüfen, ob die Standortermittlung eingeschaltet ist.

Das Symbol erscheint nur in der Statusleiste, wenn gleichzeitig eine App am Bildschirm angezeigt wird, die die Standortfreigabe verwendet.

Um Ihre genaue Position auf der Karte im vergrößerten Maßstab anzuzeigen, tippen Sie auf den Button *Mein Standort*. Der blaue Punkt zeigt Ihren Standort. **Sticker**

Zoomen: Legen Sie Daumen und Zeigefinger auf die Karte (Display) und ziehen Sie die Finger auseinander. Damit zoomen Sie in die Karte und sehen die umliegenden Straßennamen. Ziehen Sie Daumen und Zeigefinger wieder zusammen, so zoomen Sie wieder heraus und sehen damit wieder mehr von der Umgebung.

Tipp: Faustregel für die Genauigkeit ist: Ihr Smartphone braucht freien Blickkontakt zum Himmel.

Tipp: Durch nochmaliges Tippen auf das Standortsymbol dreht sich die Karte und zeigt jetzt nicht mehr nach Norden, sondern in die Richtung des Smartphones.

Weisen Sie die Teilnehmer darauf hin, dass durch die Standortfreigabe und die Nutzung von Maps eine Vielzahl an personenbezogenen Daten an Google übermittelt werden. Den Zugriff auf den Gerätestandort zu erlauben, hat aber auch Vorteile, z. B. wenn Sie sich in einer fremden Stadt verlaufen haben. Google-Funktionen, z. B. die Umgebung erkunden oder eine Route anzeigen, lassen sich leichter nutzen, wenn die Standortermittlung aktiviert ist. Außerdem lässt sich die Standortermittlung sehr einfach in der Schnellzugriffleiste ein-/ausschalten.

NOTIZEN

Aufgabe 32

Suchen Sie Ihren eigenen Standort auf der Karte. Zoomen Sie in die Karte, damit Sie die Straßennamen erkennen können.

Kursbuch Seite 68/69

WARUM ?

Die Landkarte im Smartphone ist oft hilfreich, um den eigenen Standort oder eine Route zu finden. Man kann diese App wie ein Navigationsgerät benutzen.

PUNKTE

- Welche Karten-Apps gibt es
- Symbol Standort **Sticker**
- Standortermittlung
- Mit Daumen und Zeigefinger zoomen
- **iPhone:** App Karten, Symbol Kompassnadel **Sticker**

POSTER

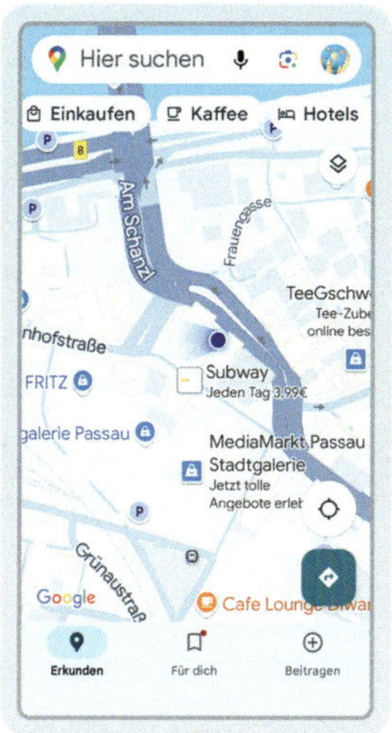

ZIEL

Den eigenen Standort auf der Karte finden.

STICKER

Finden Sie den Button für Mein Standort.

APP

Tippe auf das Symbol »Kompass«.

Finde deinen Standort.

Zoome in die Karte. Dazu musst du Daumen und Zeigefinger auseinanderschieben.

Fragen und Antworten:

Wie finde ich ein Café oder einen Supermarkt auf der Karte?

Google Maps bietet zur Anzeige von Cafés, Hotels, Tankstellen oder Restaurants in Ihrer Nähe die Option *Erkunden* an. Diese ist standardmäßig ausgewählt; falls nicht, tippen Sie sie an. Dadurch werden oben unter der Suchleiste Optionen eingeblendet, nach denen gesucht werden kann, z. B. Restaurants, Parkplätze, Einkaufen oder Kaffee. Um alle Cafés in Ihrer Nähe anzuzeigen, tippen Sie auf *Kaffee*.

Jetzt werden auf der Karte alle Cafés in diesem Kartenbereich angezeigt. Dazu gibt es auch noch eine Listenanzeige. Aus der Karte oder Liste kann dann ein Café ausgewählt werden, um alle Informationen, z. B. Öffnungszeiten, Adresse, Telefonnummer und Bewertungen, anzuzeigen.

Sollte der Button *Erkunden* nicht verfügbar sein, lassen Sie die Teilnehmer einfach *Kaffee* in das Suchfeld eintippen.

Tipp: Die Listenanzeige lässt sich wie eine Schublade von unten hochziehen und auch wieder runterschieben. So kann man mehr oder weniger von der Karte sehen.

Vorsicht: Google-Daten können veraltet sein und Öffnungszeiten an Feiertagen nicht stimmen.

iPhone: Für das iPhone verwenden Sie die App Karten. Tippen Sie in das Suchfeld. Es erscheint eine Auswahlliste mit Essen & Trinken, Einkaufen sowie Spaß und Reisen.

Man kann sich natürlich auch die App Google Maps aus dem App Store auf sein iPhone herunterladen.

NOTIZEN

Aufgabe 33

Suchen Sie ein Café in der Nähe, das jetzt geöffnet hat.

Kursbuch Seite 70/71

WARUM ?

Die App Google Maps ist mehr als nur eine Landkarte. Sie bietet viele zusätzliche Informationen, wie z. B. Cafés, Einkaufsmöglichkeiten, Banken, Tankstellen. Alles mit Adresse, Telefonnummer und Öffnungszeiten. Im Urlaub können Sie so schnell Cafés in Ihrer Nähe finden und die Route dorthin anzeigen lassen.

PUNKTE

- *Erkunden* antippen
- *Kaffee* antippen
- Auf der Karte oder in der Liste ein Café auswählen
- Die Café-Informationen lassen sich wie ein Schublade rauf- und runterziehen
- Öffnungszeiten überprüfen
- Zusatzinformationen lesen
- **iPhone:** ins Suchfeld tippen

POSTER

ZIEL

Ein Café finden. Die Zusatzinformationen zum Café, wie Fotos, Öffnungszeiten und Bewertungen lesen.

STICKER

APP

Tippe auf »Erkunden«.

Wische über das Menü oben und wähle »Kaffee«.

Tippe auf »Jetzt geöffnet«. Suche aus der Liste ein Café aus.

Fragen und Antworten:

Was ist ein Sucheingabefeld?

Die Karten-App hat ein Sucheingabefeld. Dabei handelt es sich um ein graues Feld, in das Sie Ihren Suchbegriff eingeben können. Meistens steht in diesen Feldern *Suche*, *Hier suchen* oder *Nach einem Ort oder einer Adresse...* (iPhone). Oftmals wird das Sucheingabefeld auch durch das Symbol *Lupe* angezeigt.

Tippen Sie das Feld an, um die Tastatur anzuzeigen und die Eingabe zu starten. Hier stehen Ihnen verschiedene Möglichkeiten offen:

- Geben Sie den gesuchten Ort komplett ein und tippen Sie dann auf *Suchen* bzw. das Lupensymbol, z. B. Waldstraße 34 Braunschweig.
- Sofern der Ort eine andere übliche und eindeutige Bezeichnung hat, können Sie die Straße auch weglassen, etwa Messe Dresden oder Adlon Berlin.
- Falls in der Liste unterhalb des Suchfelds ein Vorschlag angezeigt wird, der mit Ihrer Suche übereinstimmt, tippen Sie diesen an.

Wie nutze ich die App Maps als Navi?

Wenn die App den Ort gefunden hat, muss man einfach unten auf *Route* tippen. **Sticker**

Beim **iPhone** tippt man auf ein blaues Feld. Das Symbol (Auto, Fahrrad, Fußgänger etc.) auf dem Feld wechselt, je nachdem was zuvor ausgewählt wurde. Weisen Sie die Teilnehmer darauf hin, dass das Symbol wechselt und somit nicht ein Fahrrad (wie auf dem Aufkleber) abgebildet sein muss.

Jetzt muss man noch das Verkehrsmittel auswählen:

- Auto
- Öffentliche Verkehrsmittel
- Zu Fuß
- Fahrrad
- Taxi (für Taxi muss eine entsprechende App installiert sein)
- Flugzeug (falls die Destination nicht per Landweg erreichbar ist. Die App bietet an über die Webseite *Google Flüge* nach Flugverbindungen zu suchen.)

Bei der angezeigten Route werden Staus in Rot oder Orange dargestellt und alternative Routen angezeigt. Ein weiteres Symbol weist auf Baustellen hin. Das Smartphone gibt Routenvorschläge. Ein grünes Blatt weist auf die kraftstoffsparende Route hin. Stehen mehrere mögliche Routen zur Verfügung, wählt man eine durch Antippen aus.

Nachdem man sein Verkehrsmittel und die Route gewählt hat, kann es losgehen. Tippen Sie auf *Start* bzw. auf *Los* (iPhone).

Das Smartphone zeigt die Route auf dem Bildschirm an und gibt verbale Hinweise zu Routenpunkten.

Route vorzeitig beenden: Die Route wird weiter angesagt, auch wenn man zu einer anderen App wechselt, und endet erst, wenn man das Ziel erreicht hat. Um eine Route vorzeitig zu beenden, tippen Sie auf das X-Symbol bzw. auf *Beenden* (iPhone). Alternativ zeigen Sie durch Antippen der Multitasking-Taste alle geöffneten Apps an und beenden die App Maps.

NOTIZEN

Aufgabe 34

Sie wollen zum Rathaus fahren. Starten Sie eine Route. Probieren Sie Auto, Bahn/Bus oder Fahrrad aus.

Kursbuch Seite 72/73

WARUM ?

Das Smartphone ersetzt im Auto das Navi. Es muss aber mit einer Halterung befestigt sein. Man kann sich auch Routen für Fahrrad, zu Fuß oder mit öffentlichen Verkehrsmitteln anzeigen lassen.

PUNKTE

- Sucheingabefeld, Suchbegriff eingeben
- Ort aus Liste auswählen oder *Suchen* antippen
- Route **Sticker**
- Routenauswahl
- Fahrzeugauswahl: Auto, öffentliche Verkehrsmittel, zu Fuß, Taxi, Fahrrad
- Route starten & stoppen
- **iPhone:** *Los,* um zu starten, *Beenden,* um zu stoppen. **Sticker**

POSTER

ZIEL

Eine Route zum Rathaus starten.

STICKER

Finden Sie das Symbol für Route.

APP

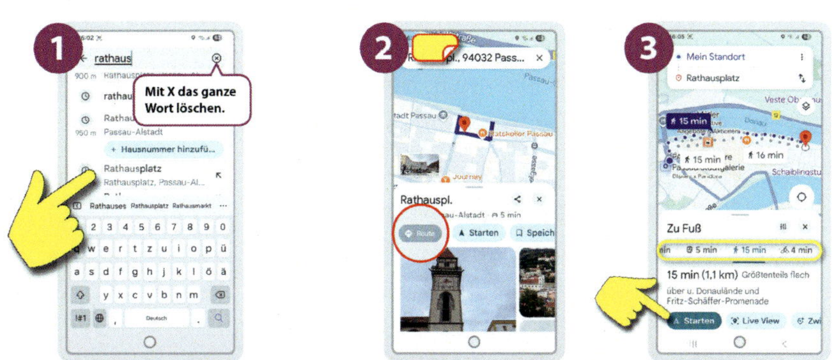

Gib »Rathaus« in das Suchfeld ein. Tippe auf das Ergebnis.

Finde »Route« und tippe darauf.

Wähle Strecke und Fahrzeug aus. Tippe auf »Starten«. Beende die Navigation mit X.

Fragen und Antworten:

Wie komme ich auf dem Smartphone ins Internet?

Um ins Internet zu kommen, benötigen Sie einen Browser - also ein Programm, eine App.

Es gibt Apps verschiedener Anbieter:

- Google: Chrome
- Apple: Safari
- Samsung: Internet
- Firefox
- Microsoft Edge
- Ecosia - basiert auf Chrome, spendet aber 80 % der Einnahmen für das Pflanzen von Bäumen.
- DuckDuckGo - ist eine Internetsuchmaschine mit besonderem Fokus auf Schutz der Privatsphäre der Nutzer.

Wie suche ich etwas im Internet?

Wir nutzen Chrome von Google für diesen Kurs, weil diese App auf allen Android-Smartphones vorinstalliert ist. Auf dem iPhone nutzen Sie die Standard-App Safari.

- Oben gibt es ein graues Suchfeld. Tippen Sie in das Feld, um die Tastatur anzuzeigen.
- Falls im Suchfeld schon Text steht, einfach das *X* am Ende des Suchfeldes antippen, um diesen zu entfernen.
- Geben Sie den Suchbegriff komplett ein und tippen Sie auf der Tastatur auf *Öffnen*. Alternative: Sollte nach Eingabe der ersten Buchstaben schon ein passender Suchbegriff erscheinen, tippen Sie diesen Eintrag in der Liste an. Das ist praktisch und geht schneller.
- Die App zeigt jetzt eine Trefferliste von Webseiten. Jede Webseite hat eine Adresse/URL: z. B. www.jetztkocheich.de. Tippen Sie auf die gewünschte Webseite, um diese anzuzeigen. Mit der Einen-Schritt-zurück-Taste kehren Sie zur Trefferliste zurück und können eine andere Webseite aufrufen.

Tipp: Wenn Ihnen das Rezept gefällt, können Sie es mit einem Screenshot (siehe Aufgabe 28) abfotografieren.

Was sind Cookies und warum muss man sie akzeptieren?

Wenn Sie zum ersten Mal eine Webseite besuchen, werden Sie aufgefordert, den Nutzungsbedingungen zuzustimmen. Dabei geht es vor allem um die Nutzung von Informationen, die durch Cookies weitergegeben werden. Cookies sind Dateien, die beim Besuch einer Internetseite an Ihr Smartphone gesendet und dort gespeichert werden. So können Sie von der Seite beim nächsten Besuch wiedererkannt werden. Anhand der dadurch gewonnenen Daten kann der Anbieter Nutzerverhalten beobachten und Werbung besser platzieren. Wenn Sie die Webseite betrachten möchten, müssen Sie der Verwendung von Cookies zustimmen. Meist wird auch das Navigieren auf der Webseite als Zustimmung betrachtet.

NOTIZEN

Aufgabe 35

Sie wollen einen Kuchen backen. Suchen Sie im Internet nach einem Rezept.

Kursbuch Seite 74/75

WARUM ?

Man kann über das Smartphone sofort und überall über mobile Daten oder eine WLAN-Verbindung Seiten im Internet aufrufen. Damit kann man im Laden den günstigsten Preis recherchieren oder in der Bahn online Nachrichten lesen.

PUNKTE

- Browser öffnen
- In Suchfeld *Schokokuchen Rezept* eingeben
- *Schokokuchen* aus der Liste auswählen
- Webseite auswählen
- Meldung zu Cookies
- **iPhone:** App Safari

POSTER

ZIEL

Eine Webseite öffnen.

STICKER

APP

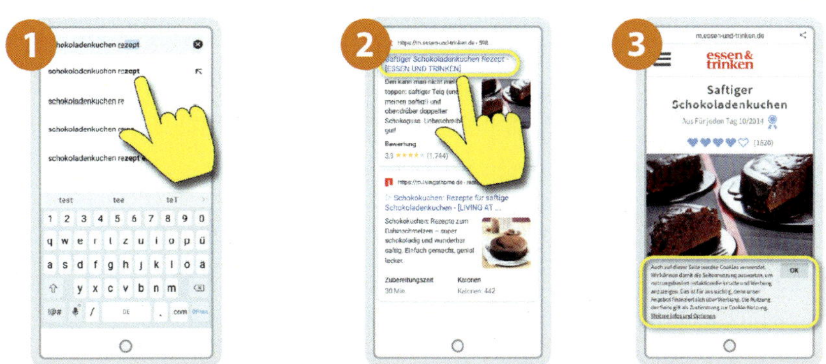

1. Gib »Schokokuchen Rezept« in das Suchfeld ein. Tippe auf ein Ergebnis.
2. Suche ein Rezept aus und tippe darauf, um die Webseite zu öffnen.
3. Um die Seite vollständig zu sehen, musst du die Cookies akzeptieren.

Fragen und Antworten:

Wie funktioniert die Spracheingabe?

Das Symbol für Spracheingabe ist das Mikrofon. Immer wenn ein Mikrofon im Suchfeld oder in der Tastatur angezeigt wird, kann ich auch Text diktieren. Google hat eine eigene App dafür entwickelt namens *Google*.

Achtung: Die Spracheingabe verbraucht mobile Daten, wenn man nicht mit einem WLAN verbunden ist.

iPhone: Die App Google lässt sich auch auf dem iPhone installieren. In der Apple-eigenen App Safari befindet sich das Mikrofon zur Spracheingabe unten in der Tastatur.

Wie funktioniert die App Google?

Die App Google bietet neben dem Suchfeld sofort das Mikrofonsymbol. Tippen Sie auf das Mikrofon und diktieren Sie den Suchbegriff, z. B. *Hotel in Paris*. Nach dem Begriff wird automatisch gesucht und eine Trefferliste angezeigt. **Sticker**

Achtung: Auf einfache Fragen erhalten Sie neben der Anzeige am Bildschirm auch eine gesprochene Antwort.

Damit es noch einfacher für den Nutzer ist, die App Google mit Spracheingabe zu nutzen, gibt es das Google Widget.

Was ist ein Widget?

Für ein Widget wird eine Information aus einer App genommen und auf den Bildschirm gelegt. Ein Widget soll schnellen Zugriff auf eine App ermöglichen oder deren Informationen übersichtlich zur Verfügung stellen. Ein Beispiel dafür ist die Wetter-App. Die App ist auf dem Smartphone gespeichert. Damit man aber auf einen Blick sieht, wie viel Grad es gerade hat, wird ein Widget auf den Startbildschirm gelegt. Das Widget erspart Ihnen, jedes Mal die App öffnen zu müssen.

Auch die App Google hat ein Widget. Dieses besteht aus einem Suchfeld mit einem Mikrofon- und Kamerasymbol und kann auf den Startbildschirm gelegt werden. So können Sie, ohne die App Google zu öffnen, direkt vom Startbildschirm einen Suchbegriff eingeben oder einsprechen.

iPhone: Um Widgets zu sehen, muss man auf dem iPhone auf den Bildschirm ganz links blättern. Über die Taste *Bearbeiten* kann man neue Widgets von installierten Apps hinzufügen und sich z. B. Chrome-Schnellaktionen anzeigen lassen. Das Google-Widget, wie auf den Android-Smartphones, gibt es hier nicht.

Google Lens

Google Lens ist die Bildersuchfunktion von Google. Über das Google-Kamerasymbol (Google Lens) kann man die Suche mit einem Foto aus der Galerie oder direkt mit der Kamera starten, also ganz ohne Text. So können Sie beispielsweise eine Pflanze aufnehmen und über Google Lens deren Namen herausfinden.

NOTIZEN

Aufgabe 36

Nutzen Sie die Spracheingabe, um ein Hotel in Paris zu finden.

Kursbuch Seite 76/77

WARUM ?

Das Eintippen von Suchbegriffen ist mühsam. Zum Glück gibt es auch die Spracheingabe. Das geht einfacher und schneller.

PUNKTE

- App Google
- Mikrofon in Suchleiste **Sticker**
- Suchbegriff diktieren
- Sofort Suchergebnis
- Widget erklären
- Google Widget
- **iPhone:** App Safari: Mikrofon in der Tastatur. Mikrofon **Sticker,** Widgets auf Seite links vom Startbildschirm

POSTER

ZIEL

Einen Suchbegriff mit Spracheingabe eingeben.

STICKER

Finden Sie das Mikrofonsymbol.

APP

Finde das Mikrofon im Suchfeld und tippe darauf.

Erlaube die Audioaufnahme. Sprich »Hotel in Paris« ins Mikrofon.

Wähle eine Webseite aus der Liste aus und tippe darauf, um sie zu öffnen.

Fragen und Antworten:

Was ist der Google Play Store und der Apple App Store?

Neue Apps werden dem Kunden zum Download in einer speziellen App angeboten: Google Play Store und Apple App Store.

Apps, die hier gelistet sind, wurden von Google bzw. Apple überprüft. Man sollte keine Apps aus ungeprüften Quellen laden!

Was ist ein Update?

Die Programmierer arbeiten immer weiter an ihren Apps. Die Apps werden verbessert und ausgebaut oder Sicherheitslücken geschlossen. Dann gibt es eine neue, verbesserte Version dieser App. Das ist ein Update.

Wie kommt das Update auf Ihr Smartphone?

Die Stores übernehmen die Verwaltung der Updates. Im Google Play Store bzw. Apple App Store kann man nachsehen, ob es Updates für die geladenen Apps gibt. Diese Updates sollte man dann zeitnah herunterladen. Das trägt zur Sicherheit bei. Falls Sie viele Updates verpassen, ist es möglich, dass Sie die App dann nicht mehr aktualisieren können. In der Regel sind allerdings automatische Updates aktiviert.

Öffnen Sie den Play Store und tippen Sie oben rechts auf das Google-Konto-Symbol, ein Kreis mit Ihren Anfangsbuchstaben. Hier finden Sie den Eintrag *Apps und Geräte verwalten*. Wenn Sie ihn auswählen, wird angezeigt, ob und wie viele Updates verfügbar sind. Tippen Sie auf den Eintrag, um im nächsten Schritt einzelne oder alle Apps zu aktualisieren.

iPhone: Im Apple App Store finden Sie unten in der Menüleiste die Option *Updates* (bis iOS12). Ab iOS13 öffnen Sie den App Store und tippen rechts auf Ihr Profilbild. Hier werden die anstehenden Updates aufgelistet - Sie haben die Wahl zwischen *Alle Aktualisieren* und (neben der einzelnen App) *Aktualisieren.*

Achtung: Updates sollten nur heruntergeladen werden, wenn das Smartphone mit dem WLAN verbunden ist.

Google- oder Apple-Konto:

Mit der Ersteinrichtung des Smartphones melden Sie sich auch mit Ihrem Google-Konto oder beim iPhone mit einem Apple-Konto an.

Für Google ist es meistens ein @gmail.com-Konto und für Apple ein @icloud.com-Konto.

Nur wenn Sie mit einem Konto angemeldet sind, können Sie neue Apps auf Ihr Smartphone laden.

Tipp: Fragen Sie die Kursteilnehmer frühzeitig, ob sie ein Konto haben und vor allem beim iPhone auch das Passwort dazu parat haben. Sonst können sie in der Aufgabe 38 keine App laden.

Die Teilnehmer können auf dem Sticker die Buchstaben eintragen, die auf ihrem Google-Konto-Symbol abgebildet sind.

NOTIZEN

Aufgabe 37

Überprüfen Sie, ob es Updates Ihrer Apps gibt.

Kursbuch Seite 78/79

WARUM ?

Apps werden verbessert, neue Bearbeitungsmöglichkeiten kommen hinzu, Fehler werden berichtigt oder Sicherheitslücken geschlossen. Damit auch die Nutzer, die die App schon auf Ihrem Smartphone gespeichert haben, von diesen Neuerungen profitieren, gibt es Updates. Diese müssen heruntergeladen werden und aktualisieren die vorhandenen Apps.

PUNKTE

- Google Play Store und Apple App Store
- Menü **Sticker**
- Apps und Geräte verwalten
- Updates
- Aktualisieren
- **iPhone:** App Store. Auf Profilbild tippen ▶ unten sind ausstehende Updates

POSTER

ZIEL

Updates im Play Store öffnen und eine App updaten.

STICKER

Finden Sie das Menüsymbol

APP

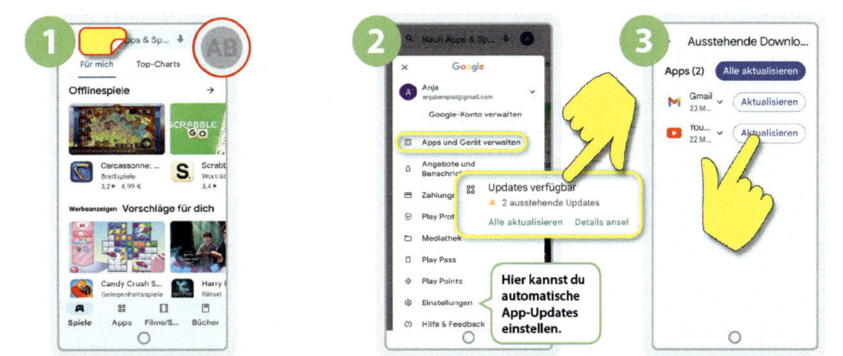

Tippe auf dein Profil-Symbol rechts oben.

Tippe auf »Apps und Gerät verwalten« und dann auf »Updates verfügbar«.

Auf »Aktualisieren« tippen, um das Update durchzuführen.

Fragen und Antworten:

Welche Apps gibt es?

Es gibt mittlerweile fast 10 Millionen Apps und es werden täglich mehr. Ein Großteil dieser Apps sind Spiele. Die andere Hälfte ist dazu da, unser Leben zu erleichtern. Vieles, was man früher über Webseiten gefunden hat, findet man heute direkt auf einer App. Jede Firma versucht, ihre Kunden auf Apps umzuleiten. Neue Geräte sind mit dem Internet verbunden. Diese Geräte werden dann über die zugehörige App gesteuert. Viele Apps, z. B. die Deutsche Bahn-App oder Apps für den Nahverkehr, sind extrem hilfreich. Über solche Apps kann Sie der Anbieter erreichen, wenn sich kurzfristig etwas ändert, z. B. eine Zugverspätung vorliegt.

Wie lade ich eine neue App auf mein Handy?

Neue Apps für Android findet man im Google Play Store, für Apple im App Store. Um im Store Apps herunterladen zu können, müssen Sie mit einem Benutzerkonto angemeldet sein. Auch hier gibt es ein Suchfeld. In das Suchfeld wird der Name der App eingegeben. In der angezeigten Liste kann dann die App durch Antippen ausgesucht werden.

Tippen Sie dann auf *Installieren* (Android) *bzw. Laden* (iPhone), um die App zu laden. Je nach Einstellung fragt das Smartphone noch Kundendaten ab, verlangt das Kennwort des Benutzerkontos oder möchte eine Bestätigung durch den Smartphone-Passcode.

Bei Android werden u. U. die Kundenkontendaten noch einmal angezeigt. Wenn das korrekt ist, tippen Sie auf *Weiter*. Danach werden Kontodaten oder Kreditkarteninformationen verlangt. Hier einfach auf *Überspringen* tippen.

Jetzt wird die App geladen und auf dem Smartphone angezeigt. Die Daten werden meist dann abgefragt, wenn in der App In-App-Käufe getätigt werden können.

Tipp: Falls die App etwas kostet, wird der Preis auf dem Button anstelle von *Laden* oder *Installieren* angegeben. Man muss aber nicht mit Banküberweisung oder Kreditkarte bezahlen. Einfach eine Play Store-Guthabenkarte kaufen und damit bezahlen. Damit kann man auch Musik oder Filme kaufen. Dasselbe gilt für den Apple App Store.

Für den Kurs wurde die App *Nina* ausgewählt. Die Kursteilnehmer können aber auch eine andere App laden. Nina ist eine App zur Anzeige wichtiger Warnungen, z. B. Stürme oder Hochwasser, des Bundesamtes für Bevölkerungsschutz und Katastrophenhilfe. Sie enthält weder Werbung noch In-App-Käufe.

Was sind In-App-Käufe oder App Abonnements?

Viele Apps kosten nichts. Um trotzdem als Anbieter Geld zu verdienen, wird entweder Werbung eingeblendet oder In-App-Käufe angeboten.

In-App-Käufe: Zunächst kostenlose Apps stellen nur eingeschränkte Funktionen zur Verfügung. Weitere können gegen Bezahlung freigeschaltet werden, z. B. bietet eine Malbuch-App in der kostenlosen Version nur zehn Farben zum Ausmalen an. Weitere Farben oder Stiftarten können durch In-App-Käufe hinzugefügt werden.

Viele App Anbieter finanzieren sich heute über Abonnements. Nicht zu verwechseln mit Abonnieren auf sozialen Medien, wie YouTube oder Instagram. Hier bedeutet abonnieren, der Person oder des Kanals zu folgen und keine Folge zu verpassen.

Ein App Abonnement bedeutet, dass man monatlich oder jährlich für die Verwendung der App bezahlt. Die meisten dieser Apps bieten eine kostenlose Probezeit. Danach muss man das Abo allerdings kündigen, damit keine Anschlusskosten entstehen. Beispiele dafür sind Netflix, Photoshop, Apple Music oder Audible. Apps wie z. B. Spotify oder YouTubeMusic haben eine gratis Version, bei der man dann aber die Werbung ertragen muss.

Beispiel: Die Wanderapp Komoot kann kostenlos verwendet werden. In diesem Fall stellt sie Wanderungen in einer Region zur Verfügung. Wer weitere Regionen benötigt, muss diese über InApp-Käufe hinzufügen. Wer mehr Funktionen möchte, erhält diese in einem Jahresabonnement.

Aufgabe 38

Laden Sie sich eine neue App auf Ihr Handy.

Kursbuch Seite 80/81

WARUM ?

Neue Apps zu laden und auch wieder zu löschen, ist einfach. Man muss allerdings ein Konto mit E-Mail-Adresse bei Apple oder Google eingerichtet haben. Für dieses Konto muss keine Bankverbindung oder Kreditkarte hinterlegt werden.

PUNKTE

- Suchfeld
- Nach App-Name suchen
- Play Store Konto
- Laden/installieren
- Gutscheinkarte
- Werbung und In-App-Käufe
- **iPhone:** App Store. Menüpunkt Apps. Apple-Konto

POSTER

ZIEL

Eine App auf das Smartphone laden.

STICKER

APP

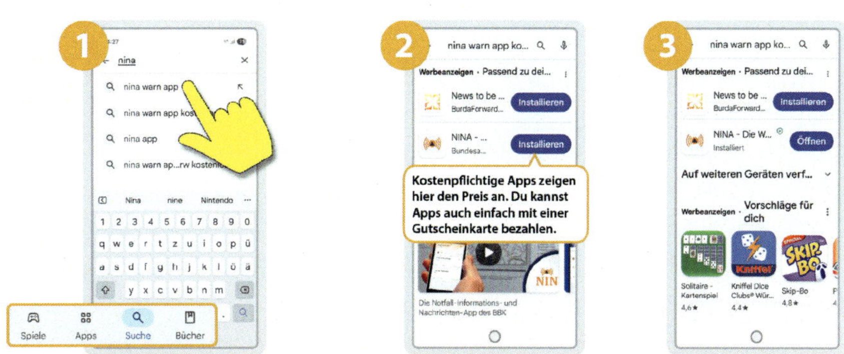

Wähle »Suche« im Menü aus. Gib den App-Namen in das Suchfeld ein und tippe auf das Ergebnis.

Tippe auf »Installieren«, um das Laden der App zu starten.

Die App wurde hinzugefügt. Tippe auf »Öffnen«.

Fragen und Antworten:

Wo finde ich die neue App auf meinem Smartphone?

Je nach Smartphone finden Sie die neue App ganz hinten als letzte geladene App. Bei manchen Smartphones wird die App auch zuerst auf die Seite mit allen Apps gelegt und hier sind die Apps alphabetisch angeordnet. Es ist aber ganz einfach, sich die App da hinzulegen, wo man sie haben will.

Wie verschiebe ich Apps auf meinem Smartphone?

Um Apps zu verschieben, muss etwas länger auf das App-Symbol gedrückt werden. Dadurch erscheint ein Papierkorb oder eine andere Anzeige auf dem Bildschirm. Man darf die App jetzt nicht loslassen, sondern zieht sie sofort an die neue Position. Man kann die App auch auf eine andere Seite ziehen, dazu zieht man die App einfach über die Seitenkante hinweg. Das braucht etwas Übung - deshalb einfach mal damit spielen.

Bei Smartphones, die *Alle Apps* auf einer gesonderten Ebene anzeigen, kann man Apps zum Startbildschirm hinzufügen und auch wieder vom Startbildschirm löschen. Tippen Sie dazu eine App etwas länger an, bis ein zusätzliches Menü angezeigt wird. Hier wählen Sie „Zu Start hinzufügen" oder Ähnliches aus.

Wenn man eine App auf eine leere Seite zieht, wird eine neue Seite erstellt.

Tipp: Wenn man eine App über eine andere App zieht und loslässt, wird ein Ordner erstellt.

So kann man Apps, die man nicht oft braucht, zusammen ablegen, um den Bildschirm übersichtlicher zu gestalten. Um einen Ordner aufzulösen, zieht man alle Apps darin zurück auf den Bildschirm. Wenn der Ordner leer ist, verschwindet er.

iPhone: Man drückt auf eine leere Stelle auf dem Bildschirm, bis die Symbole anfangen zu zittern. Jetzt kann man die Apps umherschieben. Um die Funktion zu beenden, auf *Fertig* oder erneut auf eine leere Stelle tippen.

Apps aus der App-Mediathek auf den Home-Bildschirm verschieben: Tippen Sie die App etwas länger an und wählen Sie *Zum Home-Bildschirm* aus.

Was sind Kurzbefehle?

Hier wird die Eingabe einer Funktion auf weniger Schritte vereinfacht. Viele Apps bieten mittlerweile Kurzbefehle an. Dazu drücken Sie etwas länger auf das App-Symbol. Jetzt erscheint nicht nur *App entfernen*, sondern auch mögliche Kurzbefehle. Ein gutes Beispiel ist die App Uhr. Wenn Sie hier etwas länger auf das Symbol drücken, erscheinen Kurzbefehle, z. B. *Wecker erstellen* oder *Stoppuhr starten*. Sie müssen also nicht erst die App öffnen, im Menü den entsprechenden Punkt auswählen und auf *Plus* tippen. So können Sie noch schneller auf Funktionen zugreifen.

NOTIZEN

Aufgabe 39

Verschieben Sie die App auf eine neue Position auf Ihrem Bildschirm.

Kursbuch Seite 82/83

WARUM ?

Sie können die Apps auf dem Bildschirm so anordnen, wie Sie es für sinnvoll erachten, beispielsweise Apps, die Sie häufig verwenden nach vorne auf den Startbildschirm ablegen.

PUNKTE

- App etwas länger drücken, bis sich etwas bewegt
- App ohne Abzusetzen auf neue Position ziehen
- Loslassen
- App-Ordner erstellen
- Zum Startbildschirm hinzufügen
- **iPhone:** Auf leere Stelle länger drücken, bis Apps zittern - zum Bestätigen *Fertig* tippen.

POSTER

ZIEL

Eine App auf eine neue Position ziehen.

STICKER

APP

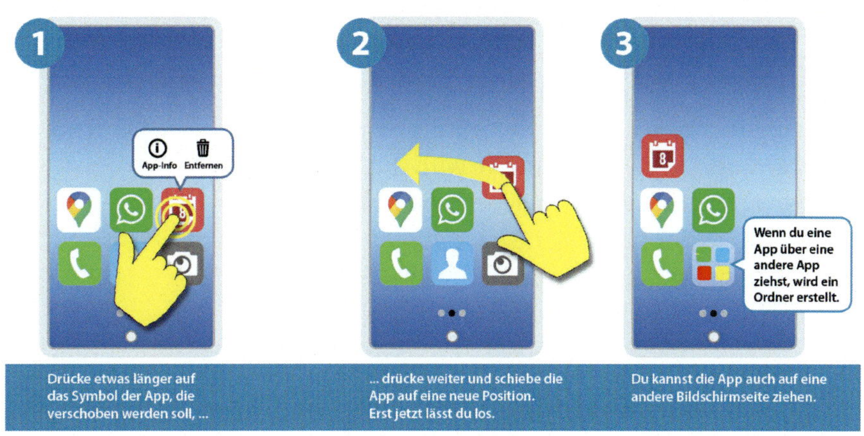

Fragen und Antworten:

Wie lösche ich eine App?

Tippen Sie etwas länger auf die App. Ein Menü wird angezeigt. Hier wählen Sie *Deinstallieren* aus, um die App zu löschen. Ein Teil der vorinstallierten Apps kann nicht gelöscht werden; für diese wird *Deinstallieren* nicht angezeigt.

Andere Smartphones blenden einen *Papierkorb* oder *Deinstallieren* am oberen Bildschirmrand ein. Auf diesen Bereich muss die App zur Deinstallation gezogen werden. Dabei ist wichtig, erst auf das App-Symbol zu drücken und dann die App auf das Symbol am oberen Bildschirmrand zu ziehen (Erst während des Ziehens blenden die Symbole ein).

Bei Android-Smartphones gibt es in der Regel einen Startbildschirm und einen App-Bildschirm. Je nachdem auf welchem Bildschirm die App gelöscht werden soll, unterscheiden sich die Menüinhalte. Auf dem Startbildschirm wird neben *Deinstallieren* zusätzlich die Option *Vom Startbildschirm entfernen, Verknüpfung entfernen* oder *Entfernen* angeboten. Damit wird die App vom Startbildschirm entfernt, ist aber nicht deinstalliert und wird auf dem App-Bildschirm noch angezeigt. Auf dem App-Bildschirm wird durch Auswahl von *Deinstallieren* die App vom Smartphone gelöscht.

Sollte das Smartphone nur über Startbildschirmseiten verfügen, dann wird im Menü nur die Option *Deinstallieren* angeboten. Es ist möglich den App-Bildschirm auszublenden und alle Apps auf den Startbildschirmseiten anzuzeigen.

iPhone: Durch längeres Drücken auf eine freie Stelle des Home-Bildschirms beginnen die Apps zu zittern und in der linken Ecke wird ein Minuszeichen angezeigt, über welches Sie entweder die *App löschen* oder nur *Vom Home-Bildschirm entfernen* können. Um den Modus zu beenden, tippen Sie erneut auf eine freie Stelle oder rechts oben auf *Fertig* (iPhone X und neuer) bzw. drücken den Home-Button.

Alternative: Auf dem Home-Bildschirm halten Sie das App-Symbol etwas länger gedrückt, bis ein Menü angezeigt wird. Hier tippen Sie auf *App entfernen*, dann haben Sie die Wahl zwischen *Vom Home-Bildschirm entfernen* und *App löschen*. Eine App, die Sie vom Home-Bildschirm entfernt haben, ist immer noch in der App-Mediathek zu finden.

In der App-Mediathek erhalten Sie auch durch längeres Drücken einer App die Option *App löschen*.

Tipp: Keine Angst, wenn man eine App aus Versehen gelöscht hat. Jede App kann man über den Play Store (Android) bzw. App Store (iPhone) wieder neu laden. Nur die eingepflegten Daten sind dann leider verloren.

Tipp: Falls man nach dem Löschen von Apps eine leere Seite hat, kann man auch auf die leere Seite länger drücken und die gesamte leere Seite löschen. Dazu einfach die Seite über den Papierkorb ziehen.

NOTIZEN

Aufgabe 40

Löschen Sie eine App von Ihrem Handy.

Kursbuch Seite 84/85

WARUM ?

Der Speicherplatz auf Smartphones ist schnell voll und zu viele Apps sorgen für Unübersichtlichkeit. Deshalb macht es Sinn, Apps, die man nicht benötigt, zu löschen. Viele vorinstallierte Apps, wie z. B. Telefon können nicht gelöscht werden.

PUNKTE

- Länger drücken
- Vom Startbildschirm entfernen oder deinstallieren
- **iPhone:** Länger drücken, bis Symbole zittern. Auf das kleine Minus (**Sticker**) tippen und löschen. Mit Home-Button oder *Fertig* bestätigen.

POSTER

ZIEL

Eine App vom Startbildschirm entfernen oder, falls gewünscht, deinstallieren.

STICKER

APP

Drücke länger auf das App-Symbol, das entfernt werden soll.

Wähle je nach Smartphone »Deinstallieren« oder »Entfernen«.

Die Deinstallation löscht alle App-Daten. Bestätige die Deinstallation.

Fragen und Antworten:

Was ist WhatsApp?

WhatsApp ist ein Programm, mit dem man Nachrichten austauschen kann, ähnlich einer SMS. Wenn Sie WhatsApp verwenden möchten, muss das Smartphone über mobile Daten oder über WLAN mit dem Internet verbunden sein.

Um über WhatsApp zu kommunizieren, müssen Absender und Empfänger WhatsApp auf dem Smartphone installiert haben. Nach Installation der App muss die Telefonnummer verifiziert werden. WhatsApp schickt dazu eine SMS mit einem Code an das Smartphone. In der Regel wird der Code automatisch erkannt, falls nicht, kann er auch eingetippt werden. Wer das WhatsApp-Back-up im Google-Konto auf Google Drive sichern möchte, kann jetzt noch das Gmail-Konto mit E-Mail-Adresse und Passwort angeben. Zum Abschluss des Einrichtungsprozess geben Sie noch einen Namen ein. Auf das Profilbild kann zunächst verzichtet werden, das wird in einer der folgenden Aufgaben bearbeitet.

Fragen Sie vor Beginn des Kurses, wer WhatsApp schon installiert hat. Der Großteil der Teilnehmer hat es erfahrungsgemäß schon und benutzt es auch. Nutzen Sie die Zeit vor Kursbeginn und installieren Sie bei den anderen den Messenger.

NOTIZEN

Aufgabe 41

Installieren Sie WhatsApp und verifizieren Sie Ihre Nummer.

Kursbuch Seite 86/87

WARUM ?

WhatsApp gehört zu Meta (ehemals Facebook) und hat 2,96 Mrd. Nutzer weltweit. In Deutschland haben 98 % der 14-19-Jährigen WhatsApp auf ihrem Smartphone installiert. Mit WhatsApp nutzen Sie die Kommunikationswege Ihrer Kinder und Enkel.

PUNKTE

- Teilnehmer fragen, wer WhatsApp schon installiert hat
- WhatsApp installieren und verifizieren
- **iPhone:** gleich

POSTER

ZIEL

Bei den Teilnehmern, die WhatsApp noch nicht installiert haben, die App installieren und die Nummer verifizieren.

STICKER

APP

Öffne WhatsApp, wähle eine Sprache, klicke durch die Freigaben und gib deine Telefonnummer ein.

Wenn du schon ein Konto bei WhatsApp hattest, lade das Back-up.

Gib deinen Namen ein und tippe auf »Weiter«.

Fragen und Antworten:

Was kann WhatsApp?

1. Chat

Eine Nachricht an eine Person senden. An diese Nachrichten kann man Verschiedenes anhängen:

- Dokument
- Foto Kamera
- Foto Galerie
- Abstimmung
- Audio
- Standort
- Kontakt-Infos
- Ereignis

Sprachnachricht: Außerdem können Sie auch anstelle einer Textnachricht, eine Nachricht aufnehmen und versenden.

Achtung! Man kann nur an Personen eine Nachricht senden, deren Telefonnummer im Adressbuch (App Kontakte) gespeichert ist. Wurde der Kontakt gerade eben erst hinzugefügt, dann muss die Kontaktliste in WhatsApp aktualisiert werden. Sie können von allen Personen angeschrieben werden, die Ihre Handynummer kennen. Wenn Sie die Person nicht in Ihrem Adressbuch gespeichert haben, wird statt einem Namen die Handynummer des Absenders angezeigt.

2. Gruppenchat

Nachrichten an eine Gruppe von Personen senden. Alle Teilnehmer der Gruppe sehen alle Nachrichten, die in dieser Gruppe versendet werden. So müssen nur einmal Familienfotos geteilt werden und alle Familienmitglieder in der Gruppe können sie sehen. Die Telefonnummern aller Gruppenmitglieder sind für alle sichtbar.

3. Broadcast

Eine Nachricht wird an mehrere Adressaten versendet, die vom Sender in der Broadcast-Liste erfasst wurden. Für die Empfänger der Nachricht sieht es so aus, als hätte der Sender nur ihnen eine Nachricht geschrieben. Die Empfänger antworten im Einzelchat. Der Broadcast ist die erste Wahl, wenn man nicht die Telefonnummern aller Empfänger preisgeben will/darf, z. B. der Trainer schreibt an alle, aber die einzelnen Spieler schreiben nur an den Trainer zurück.

Achtung! Ein Broadcast wird nur von den Personen empfangen, die die Telefonnummer des Absenders in der App Kontakte gespeichert haben. Um bei unserem Beispiel zu bleiben, alle Spieler müssen die Telefonnummer des Trainers abgespeichert haben, um den Broadcast zu empfangen.

4. Aktuelles

Status: Hier können Bilder, Videos, Sprachnachrichten oder Texte eingestellt werden. Dieser Status wird allen Kontakten oder ausgewählten Kontakten angezeigt. Die Statusmeldung ist für 24 Stunden sichtbar und verschwindet dann automatisch wieder. Ob es neue Statusnachrichten gibt, erkennt man an einem Pünktchen neben dem Menüpunkt *Aktuelles* und daran, dass diese Person in der Chatübersicht einen farbigen Kreis um das Profilbild hat.

Kanäle: Kanäle werden von Unternehmen, Organisationen oder Einzelpersonen betrieben und bieten Neuigkeiten zu einem Thema. Kanäle sind öffentlich für alle WhatsApp Nutzer sichtbar. Wenn Sie einen Kanal abonnieren bleiben Ihre Telefonnummer und Ihr Profilbild unsichtbar.

5. Telefonate oder Videoanrufe

Sprach- und Videoanrufe sind ebenfalls über WhatsApp möglich. Auch Gruppenanrufe sind hier möglich. Dabei ist es von Vorteil, wenn das Smartphone mit dem WLAN verbunden ist. Ansonsten schmälern diese Art von Anrufen das Datenvolumen des Mobilfunkvertrags.

6. Communitys

In Communitys werden verschiedene Gruppen zu einem Thema organisiert. Ein Beispiel ist der Sportverein (Community) mit den einzelnen Abteilungen als Untergruppen (Fußball, Volleyball, Kinderturnen, Skigymnastik, Yoga, Weihnachtsbasar, etc.). Zu einer Community muss man eingeladen oder hinzugefügt werden.

7. Meta AI

Meta AI ist ein virtueller Assistent der auf künstlicher Intelligenz beruht. Sie können über das Suchfeld in WhatsApp Fragen an Meta AI richten oder in einem Chat mit Meta AI. Diesen zeigen Sie an, indem Sie auf ◯ tippen. Meta greift nach eigenen Aussagen auf keine Informationen in anderen Chats zu, aber alles, was Sie im Chat mit Meta AI schreiben, wird weiterverarbeitet. Aus diesem Grund sollten Sie dort, keine persönlichen Informationen preisgeben.

Zeigen Sie den Teilnehmern, wie man zwischen den Bereichen Chats, Aktuelles, Communitys und Anrufe wechselt.

Aufgabe 42

Schauen Sie sich die verschiedenen Möglichkeiten zur Kommunikation über WhatsApp an.

Kursbuch Seite 88/89

WARUM ?

Warum nutzen so viele WhatsApp? WhatsApp ist relativ einfach zu bedienen und bietet zahlreiche praktische Möglichkeiten der Kommunikation. Da es so viele Menschen nutzen, ist man fast gezwungen, die App auch zu verwenden, um nicht ausgegrenzt zu werden: Nutzt die ganze Familie WhatsApp, bekommt man mit WhatsApp viele Informationen und schöne Fotos - ohne die App nicht.

PUNKTE

WhatsApp
Kommunikationswege:

- Chats + Anhänge
- Gruppenchat
- Broadcast
- Status & Kanäle
- Communitys
- Telefonate oder Videoanrufe
- Meta AI
- **iPhone:** Andere Menüreihenfolge, eigener Menüpunkt *Einstellungen*

POSTER

ZIEL

In der Menüzeile zeigen, was wo ist. Kommunikationswege von WhatsApp aufzählen.

STICKER

APP

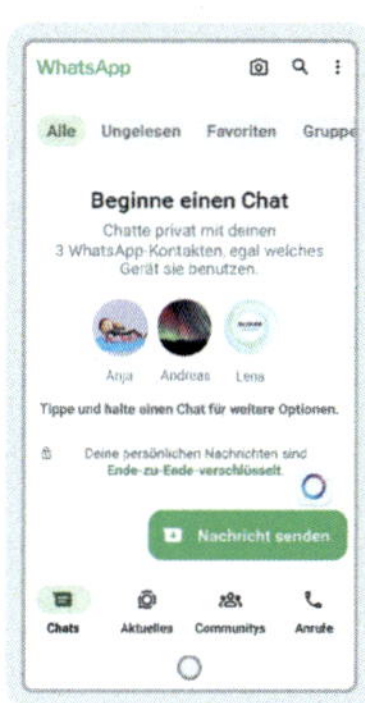

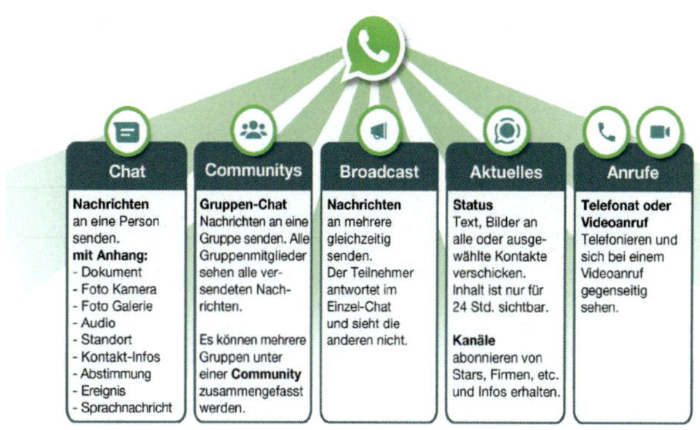

Fragen und Antworten:

Welche Berechtigungen gibt es?

Manche Apps müssen, um zu funktionieren, auf andere Apps oder Funktionen im Smartphone zugreifen können. Dafür muss der Nutzer sein Einverständnis geben. Man berechtigt in der Regel WhatsApp im Zuge der Installation und Einrichtung auf folgende Funktionen zugreifen zu dürfen:

- Benachrichtigungen
- Fotos und Videos
- Kamera
- Kontakte
- Mikrofon
- Standort
- Telefon
- Anrufliste
- Geräte in der Nähe
- Musik und Audio
- SMS

Diese Zugriffsrechte kann man nachträglich verändern. Zum Teil verfügen ältere Smartphones nicht über diese Art der Rechteverwaltung.

In der Regel erteilen Sie die Zugrifferlaubnis bei der Ersteinrichtung von WhatsApp. Falls eine Berechtigung fehlt, werden Sie bei Verwendung von WhatsApp darauf hingewiesen.

Wo kann man die vergebenen Berechtigungen einsehen und verwalten?

Berechtigungen werden in der App *Einstellungen* verwaltet. Rufen Sie in den *Einstellungen* die Kategorie *Apps* auf. Hier sind alle Apps alphabetisch sortiert aufgelistet. Tippen Sie *WhatsApp* an und dann den Bereich *Berechtigungen*.

Hier werden im Bereich *Zugelassen* die Apps und Funktionen aufgeführt, auf die WhatsApp zugreifen darf; danach folgt der Bereich *Nicht zugelassen*.

Um die Berechtigungen zu verwalten, tippt man auf einen Eintrag, z. B. *Kamera* und kann dann im nächsten Schritt zwischen: *Zugriff nur während der Nutzung der App zulassen*, *Jedes Mal fragen* und *Nicht zulassen* auswählen. Wenn man *Nicht zulassen* antippt, wird der Eintrag *Kamera* in den Bereich *Nicht zugelassen* geschoben. WhatsApp darf in diesem Fall die Kamera nicht verwenden.

Benennung und Anzahl der einzelnen Zugriffsoptionen variiert, oft findet man auch nur *Zulassen* und *Nicht zulassen*.

Einzelne Berechtigungen werden auch über Schalter aktiviert bzw. deaktiviert. Bei älteren Smartphones ist es möglich, dass alle Berechtigungen über Schalter erteilt bzw. entzogen werden.

Tipp: In diesem Bereich der Einstellungen finden Sie die Zugriffsrechte/Berechtigungen für alle Apps. Lassen Sie die Teilnehmer die Zugriffsrechte für eine andere App überprüfen.

iPhone: Öffnen Sie die *Einstellungen* und tippen Sie ganz unten auf die Zeile *Apps*. Die Apps sind alphabetisch aufgelistet. Scrollen Sie ganz nach unten zu *WhatsApp*. Zusätzlich bietet das iPhone eine Übersicht zu den Zugriffsrechten der verschiedenen Apps unter *Datenschutz & Sicherheit*.

NOTIZEN

Aufgabe 43

Um WhatsApp Zugriff auf Kontakte oder Kamera zu geben, überprüfen Sie die Zugriffsrechte von WhatsApp.

Kursbuch Seite 90/91

WARUM ?

Worauf die App zugreifen darf, kann der Nutzer bestimmen. Wenn Sie eine Erlaubnis nicht erteilen, kann diese Funktion nicht ausgeführt werden: Um jemanden anzuschreiben, braucht WhatsApp die Erlaubnis, in Ihr Adressbuch zu schauen (Kontakte). Wenn Sie mit WhatsApp telefonieren wollen, muss das Mikrofon genutzt werden usw.

PUNKTE

- Einstellungen öffnen
- Apps finden
- WhatsApp finden
- Berechtigungen finden
- Durch Tippen in der Liste auf „Zulassen" bzw. „Nicht zulassen"
- Über Schalter Funktionen an- bzw. abschalten
- **iPhone:** App-Liste in App *Einstellungen* ganz unten

POSTER

ZIEL

Unter *Einstellungen*, Kategorie *Apps* die Berechtigungen für WhatsApp finden.

STICKER

APP

Gehe auf »Apps«. Finde »WhatsApp« und tippe darauf. Die Apps sind alphabetisch geordnet.

Gehe auf »Zugriffsrechte/Berechtigungen«. Tippe auf einen Eintrag.

Wähle zwischen »Zulassen« oder »Nicht zulassen«.

Fragen und Antworten:

Wer sieht mein Profil?

Das Profil sieht zunächst jeder, der Sie mit Ihrer Telefonnummer in seinem Smartphone gespeichert hat und auch WhatsApp nutzt. Deshalb sollte man sich überlegen, was man über das Profilbild von sich preisgeben möchte.

Die Standardeinstellung in WhatsApp ist, dass jeder, der die Telefonnummer kennt, das Profil sieht. Man kann unter *Menü - Einstellungen - Datenschutz - Profilbild* bzw. *Info* dafür sorgen, dass nur *Meine Kontakte* das Bild bzw. den Infotext sehen. *Meine Kontakte* sind alle Personen, die Sie in Ihrer App Kontakte gespeichert haben.

Welche Informationen enthält mein Profil?

Das Profil besteht aus dem Namen, einem Foto und einem kurzen Infotext. Der Infotext lautet standardmäßig: *Hallo. Ich benutzte WhatsApp.* Diesen Text können Sie ändern. Selbstverständlich müssen Sie auch nicht Ihren vollständigen Namen angeben, Sie können auch Ihren Spitznamen eintragen.

Wo kann ich das Profil ändern?

Tippen Sie oben rechts das Menü-Symbol an bzw. verwenden Sie das Menü unten rechts (iPhone). Wählen Sie *Einstellungen*. Unter *Einstellungen* finden Sie ganz oben ihr eigenes Profil mit Bild, Name und Infotext. Um es zu ändern, tippen Sie den Bereich an.

- Um das Profilbild zu ändern, tippen Sie auf das Kamera-Symbol. Jetzt können Sie aus der *Galerie* ein Foto auswählen oder durch Anklicken von *Kamera* ein Bild knipsen. Außerdem kann man in WhatsApp einen Avatar erstellen und diesen hier auswählen. Man muss kein Profilbild anzeigen. Dann wählen Sie *Bild entfernen* aus. Wenn Sie sich für ein Bild entschieden haben, können Sie noch den Ausschnitt festlegen. Dann tippen Sie auf *Fertig*.
- Als Nächstes ändern Sie den Infotext. Dazu tippen Sie die Zeile an. Bei *Info* kann ein vorgegebener Text durch Antippen ausgewählt werden oder Sie geben einen eigenen Text durch Antippen des Stift-Symbols oder des Pfeil-Symbols (iPhone) ein. Dann tippen Sie auf *Speichern*.
- Wichtig: Sie verlassen die einzelnen Bereiche immer über das Pfeil-Symbol links oben.

Was ist ein Avatar?

Ein Avatar ist eine gezeichnete, digitale Version einer Person. Diese Darstellung wird anstatt eines Fotos eingesetzt und hat eine Vielzahl von Posen, wie zum Beispiel „Daumen hoch". Seinen Avatar kann man auch als Profilbild verwenden. Einen Avatar zu erstellen kann viel Zeit in Anspruch nehmen, da man alle Eigenschaften, wie zum Beispiel Kopfform, Augenform, Mundform, Haare und auch die entsprechenden Farben dazu aus einer Vielzahl an Möglichkeiten auswählen kann.

Wofür ist der QR-Code im WhatsApp Profil?

Durch Antippen des QR-Code-Symbols wird ein QR-Code angezeigt, der die eigenen Kontaktdaten enthält. Der Code kann von einer anderen Person gescannt werden, um die Kontaktdaten auf einfache und schnelle Weise zu übernehmen. Hier finden Sei auch die Funktion *Scannen*, um den QR-Code einer anderen Person einzuscannen. Diese Funktion finden Sie noch einmal im Bereich *Chats*, wenn Sie einen neuen Chat starten. Auch hier finden Sie ein QR-Code Symbol (iPhone *Neuer Kontakt*), um diese Scan-Funktion zu öffnen. Scannen Sie den QR-Code der anderen Person und speichern Sie die Informationen zur Person in ihren Kontakten ab.

Im Kurs können die Teilnehmer das mit ihrem Sitznachbarn ausprobieren.

Aufgabe 44

Bearbeiten Sie Ihr WhatsApp-Profil. Geben Sie ein Foto und eine kurze Info ein.

Kursbuch Seite 92/93

WARUM ?

Das Profil ist unsere eigene Darstellung für alle, die unsere Handynummer haben. Also aufpassen, welche Bilder man hier zeigt. Viele nutzen das Foto, um etwas von sich zu erzählen und tauschen das Bild auch öfter aus, z. B.: Ich bin im Urlaub am Strand, mein Hund hat einen lustigen Hut, mein Garten blüht.

PUNKTE

- Einstellungen in WhatsApp öffnen
- Profil öffnen
- Foto bearbeiten
- Name bearbeiten
- Infotext bearbeiten
- **iPhone:** Menüpunkt *Einstellungen*

POSTER

ZIEL

Das Profil öffnen und überprüfen. Gegebenenfalls ändern.

STICKER

APP

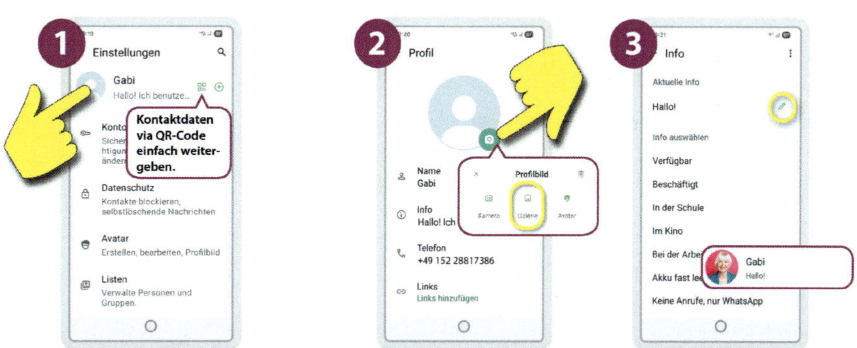

Tippe auf die Zeile mit deinem WhatsApp-Namen.

Wähle Kamera oder suche ein Bild in der Galerie aus. Tippe auf »Fertig«.

Tippe auf »Info«, dann auf das Stift-Symbol und gib einen Text ein. Tippe auf »Speichern«.

Fragen und Antworten:

Wie schreibe und versende ich eine Nachricht?

- Im Bereich *Chats* auf das Symbol für *Neue Nachricht* tippen. **Sticker**
- Jetzt wird Ihnen eine Liste mit allen Kontakten aus Ihrem Adressbuch angezeigt, die auch WhatsApp nutzen. Einen Kontakt durch Antippen auswählen.
- Eine neue Nachricht öffnet sich und Sie können den Text eingeben.

  Wichtig! Falls keine Tastatur zur Eingabe angezeigt wird, tippen Sie das Nachrichtenfeld an.
- Nachricht versenden: Neben der Texteingabezeile finden Sie ein Symbol, das einen Papierflieger darstellen soll. Einfach darauf tippen und die Nachricht wird versendet.

Wenn Sie das nächste Mal eine Nachricht an diese Person senden, müssen Sie nicht auf das Symbol *Neuer Chat* tippen. Alternativ suchen Sie sich den passenden Chat im Bereich CHATS durch Antippen heraus und geben dann eine Nachricht ein.

Hinweis: Man kann jetzt auch eine Nachricht an sich selbst schicken und WhatsApp als Notizbuch nutzen.

Wie versende ich eine Sprachnachricht?

Drücken Sie auf das grüne Mikrofon. Sprechen Sie jetzt ihre Nachricht auf. Zum Absenden tippen Sie auf *Senden*. Die aufgesprochene Nachricht kann der Empfänger, wie früher auf dem Anrufbeantworter, abhören.

Für Pause tippen Sie auf die zwei senkrechten Striche. Zum Löschen der Nachricht, tippen Sie auf das Papierkorbsymbol. Sprachnachrichten werden immer automatisch heruntergeladen, auch außerhalb eines WLANs.

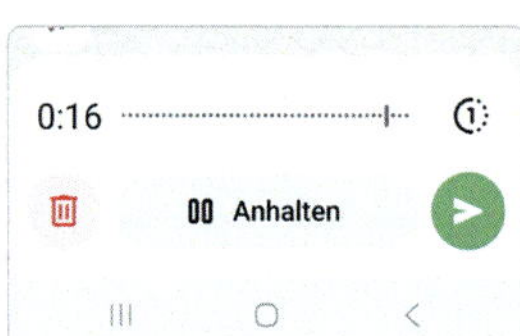

Tipp: Das graue Mikrofon bei der Tastatur dient dazu, eine Textnachricht zu diktieren. So müssen Sie den Text nicht tippen.

Ist meine Nachricht angekommen?

Nachdem die Nachricht versendet wurde, erscheint ein graues Häkchen neben der Nachricht. Das heißt, die Nachricht hat Ihr Smartphone verlassen. Dann erscheint ein zweites graues Häkchen. Das heißt, die Nachricht ist im Smartphone Ihres Freundes angekommen. Wenn beide Häkchen blau sind, hat Ihr Freund die Nachricht gelesen.

Diese Funktion heißt *Lesebestätigung* und kann unter *Einstellungen* ▶ *Account* ▶ *Datenschutz* deaktiviert werden. Dann wird nicht mehr übermittelt, ob Sie eine Nachricht erhalten bzw. gelesen haben, Sie sehen das aber auch nicht mehr bei den Empfängern Ihrer Nachrichten.

NOTIZEN

Aufgabe 45

Schreiben Sie eine Nachricht und schicken Sie sie ab.

Kursbuch Seite 94/95

WARUM ?

In Chats tauschen Sie schnell wichtige Informationen aus und sehen auch, ob der andere die Nachricht bereits gelesen hat.

PUNKTE

- Chats öffnen
- Empfänger auswählen oder Symbol für Neue Nachricht tippen **Sticker**
- Nachricht eingeben
- Mikrofon für Diktat
- Mikrofon für Anrufbeant-worter
- Absenden
- **iPhone:** Symbol für Neue Nachricht: Plus **+** **Sticker**

POSTER

ZIEL

Eine Nachricht über WhatsApp versenden.

STICKER

Finden Sie das Symbol für Neue Nachricht.

APP

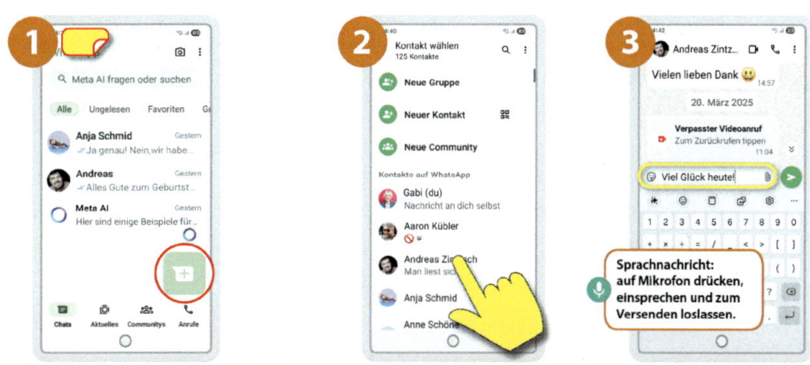

Tippe auf das Symbol »Neue Nachricht« oder direkt auf einen Kontakt.

Wähle einen Kontakt aus.

Tippe in das Nachrichtenfeld. Schreibe deine Nachricht und schicke sie ab.

Fragen und Antworten:

Was kann man an eine WhatsApp-Nachricht alles anhängen?

Über WhatsApp kann man mittlerweile verschiedenste Daten verschicken. Meistens werden Fotos oder Videos geteilt.

Vorsicht: WhatsApp funktioniert nur übers Internet und verbraucht mobile Daten, wenn man nicht im WLAN ist. WhatsApp rechnet die angehängten Daten zwar kleiner, aber gerade Videos verbrauchen trotzdem einiges an Daten.

1. Fotos und Videos
Diese können aus der Fotogalerie an die Nachricht angehängt werden. Das Bild kann durch Antippen des Stiftsymbols verschönert werden. Zur Anzeige der Filter wischen sie nach oben. Man kann aber auch über das Kamerasymbol in WhatsApp ein Bild machen und abschicken. Das Foto wird nicht in der App Galerie/Fotos gespeichert.

2. Standort und Live-Standort
Sie können Ihren aktuellen Standort anhängen. Der Empfänger bekommt dann eine kleine Karte mit Ihrem Standort eingezeichnet. Er muss nur auf diese Karte tippen und kann sich dann über die App Maps die Route zu Ihnen anzeigen lassen. Vorsicht: Der aktuelle Standort wird, wenn man ihn antippt, auch sofort versendet.

Mit Live-Standort geben Sie dem Empfänger die Möglichkeit, über einen vorgegebenen Zeitraum Ihren Standort mitzuverfolgen. Das bietet sich an, wenn man jemanden nicht genau sagen kann, wann man ankommt.

3. Dokument
Man kann viele verschiedene Dokumente, wie z. B. PDFs oder Word-Dokumente anhängen. Das Empfänger-Smartphone braucht allerdings die entsprechende App, um die Datei zu öffnen.

4. Kontakte
Man muss nicht mehr mühsam die Nummer abtippen, um eine Telefonnummer an jemanden weiterzugeben. Einfach den gesamten Kontakt direkt aus der App Kontakte verschicken.

5. Smileys, Aufkleber und GIF's
Diese kleinen Bildchen sind heute aus der mobilen Kommunikation nicht mehr wegzudenken. Sagen Sie es mit einem Bild oder Smiley. Neuere Smartphones bieten auch schon kurze bewegte Bildchen (GIFs genannt) an. Das Symbol dafür ist ein Aufkleber im Texteingabefeld von WhatsApp.

Wie hänge ich an eine Chat-Nachricht ein Foto an?

Tippen Sie im Nachrichtenfeld eines Chats auf das Plus- bzw. Büroklammer-Symbol. **Sticker** Wählen Sie *Galerie,* suchen Sie ein Foto aus und tippen es an. Das angetippte Foto bekommt die Nummer 1. Tippen Sie ggf. auf weitere Bilder. Die zu versendeten Bilder werden durchnummeriert.

Um die Bilder zu bearbeiten, tippen Sie auf das Stiftsymbol . Sie können die Bilder mit einem Fotofilter versehen. Wischen Sie dazu über das angezeigte Bild von unten nach oben. Durch Antippen wählen Sie einen Filter aus.

Sie können auch noch eine Bildunterschrift hinzufügen.

Einmalansicht von Fotos und Videos

WhatsApp bietet beim Versenden von Bildern die Möglichkeit, dass der Empfänger das Bild nur ein Mal ansehen kann und danach wird es wieder gelöscht. Das Bild wird auch nicht in der Galerie des Empfängers gespeichert. Tippen Sie dazu, nachdem Sie ein Bild ausgewählt haben auf links im Nachrichtenfeld. Natürlich könnte der Empfänger einen Screenshot des übersandten Bilds anfertigen und so die Einmalansicht umgehen.

Aufgabe 46

Versenden Sie eine Nachricht mit einem Bild aus Ihrer Fotogalerie.

Kursbuch Seite 96/97

WARUM ?

An eine Chat-Nachricht kann man heute verschiedene Daten anhängen. Man kann fast alles über WhatsApp teilen. Das ist eine einfache Art, Freunden nicht nur Bilder zu senden, sondern auch Webseiten zu empfehlen oder den eigenen Standort mitzuteilen.

PUNKTE

- Plus oder Büroklammer
- Verschiedene Anhänge
- Ein oder mehrere Foto(s) anhängen
- Fotobearbeitung, Fotofilter
- Versenden
- Das Symbol für Teilen noch einmal erklären
- **iPhone:** Plus-Symbol **Sticker**

POSTER

ZIEL

Eine neue WhatsApp-Nachricht senden und ein Bild aus der Galerie anhängen.

STICKER

Finden Sie das Büroklammer-Symbol.

APP

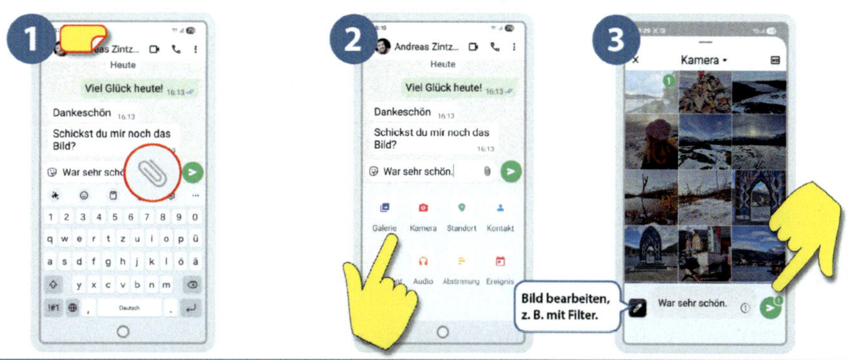

Wähle einen Empfänger aus und schreibe deine Nachricht. Tippe auf die »Büroklammer«.

Tippe auf »Galerie«.

Wähle ein oder mehrere Fotos durch Antippen aus. Schicke die Nachricht ab.

Fragen und Antworten:

Wie lösche ich Nachrichten oder Bilder in Chats?

- Tippen Sie etwas länger auf die Nachricht, die Sie löschen möchten.
- Die Bearbeitungsleiste mit dem Papierkorbsymbol wird angezeigt. Tippen Sie auf den Papierkorb.
- Sie erhalten die Optionen *Für mich löschen* oder *Für alle löschen*. Die Auswahl von letzterer Option löscht die Nachricht auch beim Empfänger, egal ob dieser die Nachricht schon gesehen hat oder nicht. Beim Empfänger wird dann nur noch die Meldung angezeigt: *Diese Nachricht wurde gelöscht.* Nach einiger Zeit, ca. 2 Stunden, steht die Option *Für alle löschen* nicht mehr zur Verfügung.

Empfangene Nachrichten und Bilder kann man nur für sich löschen. Vorsicht: Je nach Einstellung werden Fotos, die Sie in WhatsApp löschen, auch aus der Galerie entfernt.

Wie kann ich eine Nachricht oder ein Bild an jemand anderen in WhatsApp weiterleiten?

Neben jedem erhaltenen Bild wird das Pfeil-Symbol für *Weiterleiten* angezeigt. Durch Antippen des Pfeils können Sie schnell ein Foto an eine andere Person weiterleiten.

Zur Weiterleitung einer Textnachricht tippen Sie die Nachricht etwas länger an und wählen in der Bearbeitungsleiste den Pfeil, der nach rechts zeigt, aus. Dann wählen Sie einen Empfänger aus und versenden die Nachricht.

Was bewirkt der Pfeil, der nach links zeigt?

Mit dem Pfeil nach links wird die Nachricht, die Sie ausgewählt haben, zitiert und Sie können eine Antwort dazu verfassen. Das ist praktisch, wenn die Nachricht schon länger zurückliegt. So stellen Sie schnell einen Bezug dazu her.

Noch einfacher geht es, wenn Sie an der Textzeile nach rechts ziehen.

Besonders praktisch ist diese Funktion auch im Gruppenchat. Dazu gleich mehr.

Wie reagiere ich kurz auf eine Nachricht mit Emoji?

Tippen Sie etwas länger auf die Nachricht, auf die Sie regieren möchten. Jetzt erscheinen verschiedene Emoji-Symbole über der Nachricht. Tippen Sie auf eines dieser Symbole. Damit wird das Emoji sofort an die Nachricht angehängt und der Empfänger sieht Ihre Reaktion. Wenn Sie den Vorgang wiederholen, wird es wieder entfernt. Über das Plussymbol haben Sie auf die gesamte Emoji-Bibliothek Zugriff.

Diese Emoji Reaktionen sind besonders praktisch in Gruppenchats, wenn schnell hintereinander Nachrichten ankommen oder man gerade keine Zeit für eine längere Antwort hat.

NOTIZEN

Aufgabe 47

a) Löschen Sie eine Nachricht.

b) Leiten Sie eine Nachricht an jemanden weiter.

Kursbuch Seite 98/99

WARUM ?

a) Einmal nicht aufgepasst und schon hat man eine Nachricht im falschen Chat versendet. Um Verwirrung zu vermeiden, kann die Nachricht gelöscht werden.
b) Wenn man ein Bild besonders gut findet, kann man es direkt an einen anderen WhatsApp-Kontakt weiterleiten.

PUNKTE

- Eine Chat-Nachricht öffnen
- Lange drücken, bis Papierkorb erscheint
- Für mich löschen vs. Für alle löschen
- Löschen bestätigen
- Symbol Pfeil nach rechts für teilen einer Nachricht oder eines Bildes
- Symbol Pfeil nach links für zitieren einer Nachricht
- **iPhone:** gleich

POSTER

ZIEL

Eine Chat-Nachricht löschen.
Ein Bild weiterleiten.

STICKER

APP

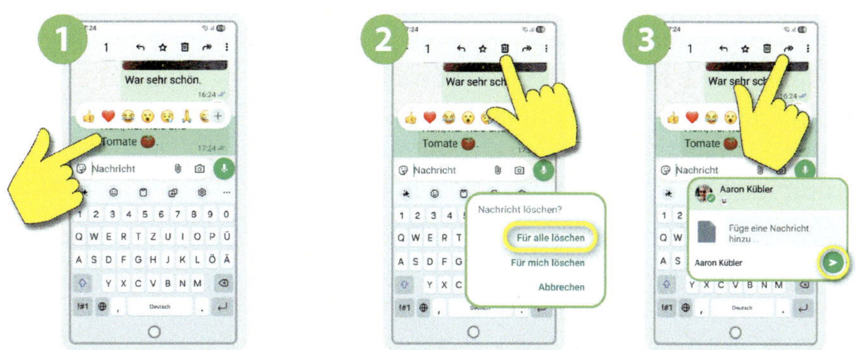

Drücke auf die Nachrichtenzeile, bis oben der Papierkorb erscheint.

Zum Löschen tippe auf den Papierkorb und bestätige »Für alle löschen«.

Zum Weiterleiten tippe auf den »Pfeil«. Wähle den Empfänger aus und sende es.

Fragen und Antworten:

Wie kann ich über WhatsApp telefonieren?

Ein Anruf über WhatsApp ist einfach - sollte aber vorher einmal geübt werden.

Wechseln Sie in den Bereich *Anrufe* und zeigen Sie die Kontaktliste an. **Sticker**

Tippen Sie in der Kontaktliste die Person an, die Sie anrufen möchten. Der Kontakt wird oben angezeigt. Auf die gleiche Weise können mehrere Personen ausgewählt werden, dadurch sprechen Sie mit allen gleichzeitig (Gruppenanruf). Im oberen Bereich von WhatsApp tippen Sie neben dem gewünschten Teilnehmer auf das Symbol *Telefonhörer* oder *Videokamera*.

Beim Videotelefonat sieht man sich zunächst selbst auf dem Smartphonebildschirm. Wenn das Gespräch zustande kommt, wird das Livebild des Angerufenen angezeigt. Sich selber sieht man immer noch klein in der Ecke.

Um das Gespräch zu beenden, einfach auf das rote *Telefon*-Symbol tippen.

Für Sprach- bzw. Videoanrufe müssen in den Berechtigungen für WhatsApp Kamera und Mikrofon freigeben werden.

Wenn man jemanden aus Versehen anruft und gleich wieder auflegt, wird das Telefonat als verpasster Anruf beim Empfänger angezeigt. Es kann also sein, dass Sie zurückgerufen werden.

Was bietet der Anruflink für Vorteile?

Mit einem Anruflink können WhatsAppNutzer einem Anruf beitreten. Der Anruflink kann über WhatsApp verschickt werden oder in ein anderes Medium, z. B. E-Mail kopiert und dann weitergegeben werden. Jeder, der einen Anruflink hat, kann dem Anruf beitreten. Der Vorteil zum Gruppenanruf ist, dass man nicht angerufen wird. Man muss selbst aktiv werden, um dem Anruf beizutreten.

NOTIZEN

Aufgabe 48

Führen Sie ein Telefonat oder machen Sie einen Videoanruf über WhatsApp.

Kursbuch Seite 100/101

WARUM ?

Im WLAN ist ein Anruf über WhatsApp oft günstiger als über das Telefon. Das kommt vor allem auf den Vertrag an und wo man sich gerade befindet. Anrufe über WhatsApp verbrauchen mobile Daten. Deshalb in Hotels oder im Ausland sich immer vorher nach den Kosten für mobile Daten und WLAN erkundigen.

PUNKTE

- Auf WLAN-Nutzungen für Anrufe hinweisen
- Symbole Telefon und Video erklären
- Im Menü Telefon wählen
- Neuer Anruf **Sticker**
- Mit einem Teilnehmer telefonieren
- Videoanruf probieren
- Gruppencall / Anruflink
- **iPhone:** Neuer Anruf **Sticker**

POSTER

ZIEL

Ein Teilnehmer ruft den Trainer oder jemand anderen im Kurs an. Im Anruf auf Video umschalten.

STICKER

Finde das Symbol für Neuer Anruf.

APP

Tippe auf das Symbol mit dem Plus.

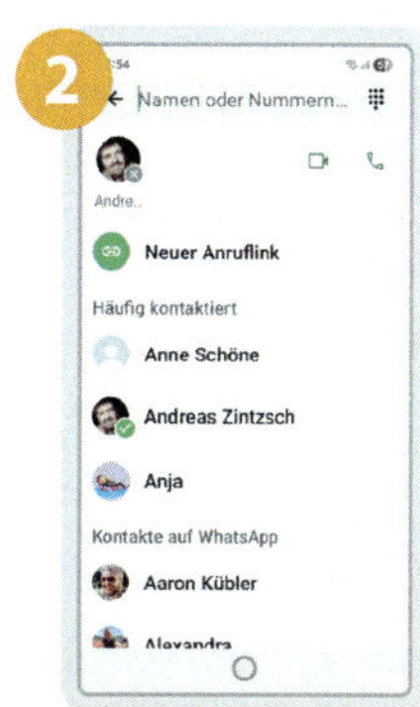

Tippe auf den Kontakt. Für einen Telefonanruf oben auf 📞, für einen Videoanruf auf ▢ tippen.

Tippe auf den roten Hörer, um dein Telefonat zu beenden.

Fragen und Antworten:

Wie lege ich fest, an wen der Status gesendet wird?

Bevor Sie einen Status veröffentlichen, sollten Sie zunächst festlegen, wer Ihren Status einsehen darf.

Wechseln Sie zum Bereich *Aktuelles* und öffnen Sie oben bei *Status* das Menü über das Dreipunktesymbol. Hier wählen Sie *Status-Datenschutz* und bestimmen den Personenkreis, der Ihre Meldungen sehen darf:

- an alle Kontakte im Adressbuch versenden
- an alle Kontakte, außer die hier ausgewählten
- nur an die hier ausgewählten Kontakte

iPhone: Hier befindet sich die Option *Status-Datenschutz* links oben im Dreipunktemenü.

Im Kurs ist es ratsam, die dritte Option zu wählen und nur eine Person zu bestimmen, an die eine Statusmeldung gesendet werden soll. Kontrollieren Sie diese Einstellung.

Was kann eine Statusnachricht enthalten?

In den meisten Fällen besteht der Status aus ein oder mehreren Fotos, zum Teil versehen mit Text. Der Status kann aber auch Videos bzw. eine Sprachnachricht enthalten oder nur mit Text, einer Hintergrundfarbe und besonderer Schriftart kreativ gestaltet werden. Auch Emojis zur Verschönerung sind möglich. Natürlich kann auch eine Mischung aus allen Elementen erstellt werden.

Wie schreibe ich eine neue Statusnachricht?

Nachdem Sie unter *Status-Datenschutz* die Empfänger festgelegt haben, können Sie jetzt eine Statusnachricht versenden.

Dazu tippen Sie im Bereich *Aktuelles* an der rechten Seite auf das Kamerasymbol. Oben stehen mit den Optionen *Text*, *Musik*, *Layout* und *Sprache* weitere Möglichkeiten zur Verfügung, den Status zu füllen.

- Wählen Sie ein Bild durch kurzes Antippen aus. Die Bilder, die Sie zuletzt geknipst haben, werden oben angezeigt. Über das Ordnersymbol rechts unten, zeigen Sie Ihre Bilderordner an.
- Wollen Sie gleich mehrere Bilder auswählen, tippen Sie das erste Bild etwas länger an. Dieses erhält die Nummer eins. Dann tippen Sie auf die weiteren Bilder. Bestätigen Sie die Auswahl mit der Häkchen-Schaltfläche rechts unten.
- Jedes Bild können Sie noch bearbeiten und eine Bildunterschrift hinzufügen, zwischen den Bilder wechseln Sie durch antippen der kleinen Vorschaubilder oder horizontales Wischen über das Display.
- Mit *Kamera* knipsen Sie ein Bild oder nehmen ein Video auf.
- Mit *Text* öffnen Sie den Texteingabebereich. Über die Farbpalette (zur Änderung der Hintergrundfarbe) oder Symbol *T* (Auswahl einer Schriftart) gestalten Sie Ihren Text.
- Zur Aufnahme einer Sprachnachricht, tippen Sie auf *Sprache*. Über das Mikrofonsymbol rechts unten nehmen Sie die Sprachnachricht auf.
- Tippen Sie auf das Symbol *Senden*, um die Statusnachricht zu veröffentlichen.

Wie finde und folge ich einem Kanal?

Wählen Sie im Bereich *Aktuelles* oben das Lupensymbol und tippen Sie den Namen einer Person, eines Vereins, einer Zeitschrift etc. ein. Kanäle auf das Plussymbol und auf *Kanäle suchen*. Schauen Sie sich die Einträge an. Tippen Sie auf *Folgen*.

Wenn Sie dem Kanal nicht mehr folgen möchten, tippen Sie auf den Kanal und auf das Dreipunktesymbol oben rechts. Wählen Sie *Nicht mehr folgen* und bestätigen Sie mit *Nicht mehr folgen*.

Aufgabe 49

Senden Sie eine Status-Nachricht an Ihre Freunde.

Kursbuch Seite 102/103

WARUM ?

Im Status können Sie Ihren Freunden schnell einige Urlaubsfotos zeigen oder eine Information zukommen lassen, ohne jemanden direkt anzusprechen. Der Inhalt des Status verschwindet automatisch nach 24 Stunden wieder. Sie müssen also nichts löschen.

PUNKTE

- Bereich Status anzeigen
- Datenschutz erklären
- Nur einen Empfänger festlegen
- Neuen Status mit Kamera/ Foto starten
- Mehrere Bilder mit Bildunterschrift hinzufügen
- Absenden
- **iPhone:** *Datenschutz* links oben im Dreipunktemenü

POSTER

ZIEL

Eine Status-Nachricht an nur einen Kontakt senden.

STICKER

APP

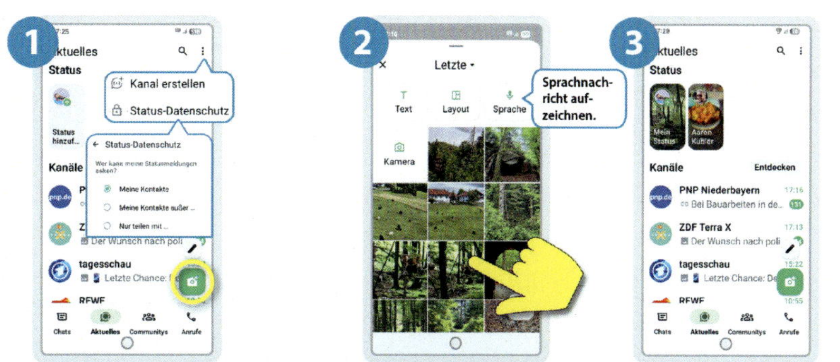

Status-Menü öffnen. Unter Status-Datenschutz auf »Nur teilen mit« tippen und Kontakte auswählen. Tippe dann auf .

Wähle ein Bild aus. Du kannst einen Text hinzufügen. Tippe dann auf Senden .

Nach dem Absenden bleibt dein Status für 24 Stunden sichtbar.

Fragen und Antworten:

Wie starte ich meine eigene WhatsApp-Gruppe?

- Tippen Sie im Bereich *Chats* auf das Menü rechts oben und wählen Sie *Neue Gruppe* aus.
- **iPhone:** Tippen Sie im Bereich *Chats* rechts oben auf das Plus und wählen Sie *Neue Gruppe*.
- Wählen Sie die Teilnehmer der Gruppe durch Antippen aus und bestätigen Sie die Auswahl.
- Die Gruppe hat wie jeder andere WhatsApp-Kontakt auch ein Profil. Dazu erhält die Gruppe im nächsten Schritt einen Namen und ein Bild.
- Durch Tippen auf das Häkchen (Android) bzw. *Erstellen* (iPhone) ist die Gruppe gestartet und jeder Teilnehmer bekommt eine Nachricht, dass er dieser Gruppe hinzugefügt wurde.

Vorsicht: Nicht jeder möchte Teil einer WhatsApp-Gruppe sein. Lieber vorher die Teilnehmer fragen.

Stellen Sie es den Teilnehmern frei, ob Sie die Gruppe wirklich erstellen möchten. Wer das nicht will, tippt einfach am Ende des Einrichtungsprozesses nicht auf das Häkchen (Android) bzw. *Erstellen* (iPhone).

Wie verlasse ich eine Gruppe wieder?

Eine Gruppe kann man nur löschen, wenn man sie vorher verlassen hat.

Um die Gruppe zu verlassen, den Gruppenchat öffnen. Ganz oben ist das Foto und der Name der Gruppe zu sehen. Tippen Sie auf diese grün hinterlegte Zeile, um alle Gruppeninformationen anzuzeigen. Ganz unten im Bereich finden Sie *Gruppe verlassen.*

iPhone: Öffnen Sie den Gruppenchat und tippen Sie auf die Zeile ganz oben. In den Gruppeninfos finden Sie im unteren Bereich die Option *Gruppe verlassen.*

Info: Wenn man eine Gruppe verlässt, erhalten die Gruppenadmins eine Nachricht.

Wo finde ich die Gruppeninformationen und Gruppenberechtigungen ?

Tippen Sie im Gruppenchat oben auf den Namen der Gruppe. Hier sehen Sie Informationen zur und Teilnehmer der Gruppe. Jede Gruppe hat mindestens einen Administrator (Gruppenadmin). Dies ist zunächst automatisch der Ersteller der Gruppe. Es können zusätzliche Personen zum Admin ernannt werden. In der Gruppeninfo können die Gruppenadmins die Gruppenberechtigungen einsehen und verändern. Hier wird festgelegt, ob z. B. alle Mitglieder der Gruppe neue Mitglieder hinzufügen dürfen oder ob das nur Admins erlaubt ist. Man kann innerhalb einer Gruppe auch festlegen, dass nur Admins Nachrichten senden dürfen. Gerade für die Organisation von Veranstaltungen ist das oft hilfreich.

Was ist der Unterschied zur Community?

In einer Community werden mehrere Gruppen zusammengefasst und organisiert, z. B. könnte die Community für einen Sportverein erstellt werden, mit den einzelnen Abteilungen als Gruppen, wie Skifahren, Fußball, Gymnastik etc. Kommuniziert wird zwischen den Mitgliedern innerhalb der einzelnen Gruppen. Community-Mitglieder sehen nur die Teilnehmer, mit denen sie in einer Gruppe sind. Nachrichten an die gesamte Community können nur von Administratoren verschickt werden. Diese Nachrichten erhalten alle Community-Mitglieder, z. B. Einladung zum Sommerfest.

Was sind selbstlöschende Nachrichten?

Die Option *Selbstlöschende Nachrichten* kann für Einzel- oder Gruppenchats vereinbart werden. Damit werden Nachrichten nach Ablauf eines vorher festgelegten Zeitraums (24 Std., 7 Tage, 90 Tage) automatisch gelöscht. Die Einstellung treffen Sie im entsprechenden Chat in den Informationen.

Aufgabe 50

Bilden Sie Ihre eigene WhatsApp-Gruppe.

Kursbuch Seite 104/105

WARUM ?

Gruppen sind praktische Helfer, um schnell mit mehreren Personen Informationen auszutauschen und gut für alle Arten von Organisationsaufgaben, z. B. eine Fahrgemeinschaft, Terminabsprache, Geburtstagsfeier etc. Bevor man eine Gruppe erstellt, sollte man die einzelnen Personen fragen, ob sie Teil einer Gruppe sein möchten, da in einer Gruppe die Handynummern aller Gruppenteilnehmer sichtbar sind. Überlegen Sie, was Sie in eine Gruppe schreiben - nicht jeder findet jedes Foto spannend und alle lesen immer mit!

PUNKTE

- Neue Gruppe anlegen
- Teilnehmer eingeben
- Gruppenname und Profilfoto der Gruppe eingeben
- Die Teilnehmer müssen die Gruppe nicht sichern
- Jeder Teilnehmer erhält Nachricht
- Häkchen **Sticker**
- Gruppe erst verlassen, dann löschen
- **iPhone:** Rechts oben Plus und *Neue Gruppe* erstellen **Sticker**

POSTER

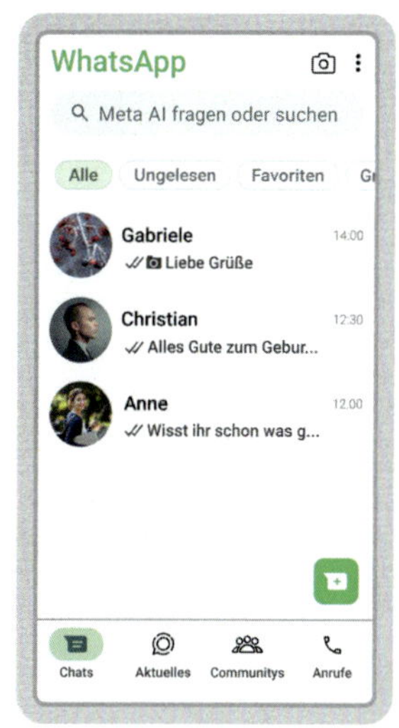

ZIEL

Eine Gruppe starten, aber nicht sichern.

STICKER

Finden Sie das Symbol zum Sichern der Gruppe.

APP

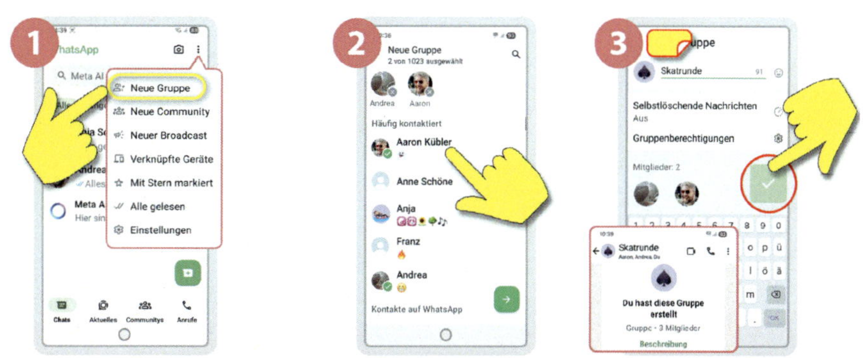

1 Tippe auf die 3 Punkte und wähle »Neue Gruppe« aus.

2 Füge deiner Gruppe durch Antippen aus den Kontakten Mitglieder hinzu. Tippe auf .

3 Gib deiner Gruppe einen Namen und ein Bild. Finde und tippe auf .

Bücher für Ihre Kursteilnehmer können Sie unter folgenden Webadressen erwerben:
www.smartphonekurs.de oder
www.bildner-verlag.de
Die Bücher liegen in zwei Varianten vor
- für Android und für iPhone.